HET BANEN VAN EEN PAD

Amsterdam, 20 juli 2005

Geschreven in opdracht van de provincie Limburg door
DSP-groep, Karin Schaafsma

Met medewerking van:

Agnes van den Andel
Annelies Slabbèrtje
Nelleke Hilhorst
Wilma Strik

Karin Schaafsma

Met medewerking van:
Agnes van den Andel
Annelies Slabbèrtje
Nelleke Hilhorst
Wilma Strik

Het banen van een pad

Methodische beschrijving van gezinscoaching op basis van de ervaringen met het experiment in Limburg

Garant

Antwerpen-Apeldoorn

Karin Schaafsma
Het banen van een pad
Methodische beschrijving van gezinscoaching
op basis van de ervaringen met het experiment in Limburg
Antwerpen – Apeldoorn
Garant
2005

76 blz. — 24 cm
D/2005/5779/127
ISBN 90-441-1847-1
NUR 840

Garant
Somersstraat 13-15, B-2018 Antwerpen
Koninginnelaan 96, NL-7315 EB Apeldoorn
www.garant-uitgevers.be uitgeverij@garant.be www.garant-uitgevers.nl info@garant-uitgevers.nl

Inhoudsopgave

1 [Inleiding: waarom gezinscoaching?]

Introductie van de term

De term gezinscoach dook op in reactie op een brand in Roermond. Dé brand, in juli 2002, waarbij zes kinderen de dood vonden omdat hun vader hun huis in vlammen had gezet. Bij dit gezin waren verschillende professionals betrokken (waaronder schuldsanering, jeugdzorg, thuiszorg, verslavingszorg, verschillende scholen van speciaal onderwijs, nutsbedrijven, de politie, de huisarts en de pastoor). Zoals meestal bij dit soort gebeurtenissen, werd ook nu de hamvraag gesteld of de hulpverlening dit drama had kunnen voorzien en voorkomen. En ook de meer algemene vraag: hoe verloopt de hulpverlening in dit soort gezinnen waar sprake is van een opeenstapeling van problemen?
Diverse betrokken inspecties stelden gezamenlijk een onderzoek in en kwamen snel met een rapport, waarin onder meer de volgende conclusies worden getrokken:

- Gezinnen met complexe problematiek worden niet (voldoende) bereikt door de hulpverlening.
- In deze gezinnen zijn vaak hulpverleners vanuit verschillende instanties werkzaam zonder dat ze dat van elkaar weten of met elkaar samenwerken.
- Vaak ontbreekt het aan een duurzame vertrouwensrelatie tussen deze gezinnen en hun hulpverleners[1].

In het rapport van de inspecties vond de staatssecretaris van volksgezondheid een aanleiding om de gezinscoach te introduceren. In een brief aan de Tweede Kamer schrijft zij over de gezinscoach het volgende: *"Bij meervoudige problemen en verschillende hulpverlenende instanties moet er één begeleider zijn die het gezin ondersteunt en ervoor zorgt dat de hulpverlening op elkaar wordt afgestemd"*[2].

---

1 Uit: 'Horen, zien, niet zwijgen. Onderzoek naar de kwaliteit van de keten van voorzieningen voor kinderen en gezinnen in probleemsituaties,' Inspectie jeugdhulpverlening en jeugdbescherming, Inspectie voor de Gezondheidszorg, Inspectie van het Onderwijs, Inspectie Openbare Orde en Veiligheid en het Verwey-Jonker Instituut (2002).

2 Verbetering werking jeugdzorg, brief staatssecretaris Ross aan Tweede Kamer d.d. 11 november 2002. Met de derde nota van wijziging van 16 april 2003 – waarin de noties in genoemde brief zijn uitgewerkt – wordt gezinscoaching officieel opgenomen in de Wet op de jeugdzorg.

De brand in Roermond was weliswaar de aanleiding maar niet de oorzaak van de introductie van de gezinscoach. In hulpverlenings- en beleidskringen bestond al langer de behoefte aan een nieuwe vorm van hulp en steun aan multi-probleemgezinnen die niet het hoofd kunnen bieden aan hun problemen (regie kwijt) en waar het met de hulpverlening om wat voor reden dan ook niet goed loopt (de hulpverlening is niet effectief/goed op elkaar afgestemd, het gezin is moeilijk bereikbaar/ontoegankelijk voor hulpverlening). In die zin kunnen we gezinscoaching opvatten als een vorm om knelpunten in de bestaande hulpverlening op te lossen en effectiviteit ervan te vergroten.
De gezinscoach treedt daarmee middenin het spanningsveld tussen de grenzen van de hulpverlening en de maatschappelijke verwachtingen ten aanzien van de hulpverlening: kan de maatschappij 'de hulpverlening' (mede) verantwoordelijk stellen voor het feit dat zich drama's voltrekken zoals in Roermond, of recenter: de zaak Savannah?

Gezinscoaching in Limburg

Voorafgaand aan de introductie van de term gezinscoach in Den Haag, besloot de provincie Limburg – al in oktober 2002 – een experimenteel programma gezinscoaching op te zetten[3]. Het programma moest een kader bieden waarbinnen gezinscoaching zich in de praktijk kon ontwikkelen en uitkristalliseren. Want de term gezinscoach sprak weliswaar sterk tot de verbeelding, maar wat het coachen van een gezin precies inhoudt, hoe gezinscoaching zich laat organiseren en ook hoe het zich verhoudt tot andere vormen van hulpverlening (de gezinsvoogd bijvoorbeeld), was op voorhand niet duidelijk.
Het programma startte in de zomer van 2003 – met zo weinig mogelijk vooronderstellingen en afbakeningen. Zonder een definitie van het begrip gezinscoaching op voorhand, zonder een functieprofiel, zonder een vaste werkwijze of methodiek. Het programma wilde nadrukkelijk de ruimte bieden om dit werkenderwijs uit te vinden en koos voor een 'regelvrije zone'. In totaal zes gemeenten en een regio meldden zich aan als experimentlocatie en met allemaal is samenwerking aangegaan. In samenspraak met deze locaties is in sommige gevallen gekozen voor meerdere uitvoeringslocaties (tien in totaal) met elk een coördinator[4] bij wie melders (zoals

3 De startnotitie van het Limburgse experiment is gebruikt als input voor de Wet op de jeugdzorg.

4 Sommige locaties – die gedurende het experiment 'meldpunt gezinscoaching' heetten – waren bemand met twee coördinatoren.

maatschappelijk werkers, gespecialiseerd verzorgenden, gezinsvoogden of andere medewerkers van bureau jeugdzorg) gezinnen konden melden die voor gezinscoaching in aanmerking kwamen.
Het programma was bestuurlijk ingebed via een stuurgroep die bestond uit de wethouders van de deelnemende gemeenten en de gedeputeerde jeugdzorg van de provincie. Daarnaast werden de experimentlocaties ondersteund door lokale begeleidingsgroepen waarin de wethouders van de stuurgroep optraden als voorzitter. Verder namen diverse betrokken instellingen deel aan de groepen.

Al vrij snel na de start van het programma, maakte men in Limburg twee expliciete keuzes die gezinscoaching een meer specifieke invulling gaven.
In een nieuwsbrief[5] stelt het programmamanagement: "*Het woord gezinscoaching heeft in korte tijd een enorme populariteit gekregen en wordt voor veel meer zaken gebruikt dan in het experiment Limburg de bedoeling is.*" Voor de stuurgroep was dit de reden om helder en eenduidig vast te stellen dat gezinscoaching in het experiment in Limburg alléén gericht is op multi-probleemgezinnen. Een andere keuze was om alleen die gezinnen te (laten) melden, waarin al hulpverlening werd aangeboden (hulpverlening die onvoldoende effectief is). Zodoende kwam in de werkprocessen (melding, beoordeling en interventie) van de experimentlocaties veel nadruk te liggen op de coördinatie van de hulpverlening: de beoordeling of de hulp aan het gemelde gezin effectief en voldoende afgestemd is op wat het gezin nodig heeft, én het vervolg op deze beoordeling: de afstemming van de hulpverlening aan het gezin. Het gebeurt regelmatig, zo bleek al in het voorjaar van 2004, dat – mét deze coördinatie van de hulpverlening – de inzet van een gezinscoach niet meer nodig is. Bij ongeveer een vijfde deel van de meldingen is gekozen voor de inzet van een gezinscoach[6].

Wettelijke basis gezinscoaching

Het experiment in Limburg heeft zich grotendeels afgespeeld in een 'wetteloze' omgeving, waar het de invulling van het begrip gezinscoach betreft.

---

5 Nieuwsbrief nr. 7, april 2004.
6 Zie hoofdstuk 4.

Op 1 januari 2005 trad de nieuwe Wet op de jeugdzorg in werking. De term gezinscoaching komt in de Wet op de jeugdzorg zelf niet voor. De wet spreekt van 'coördinatie van hulpverlening'. In artikel 6 lid 2 van de wet (dat toegevoegd is met de derde nota van wijziging) is bepaald dat het bureau jeugdzorg nagaat of coördinatie van hulpverlening nodig is, en zo ja, wie deze coördinatie het beste kan uitvoeren. De toelichting op dit artikel geeft aan dat degene die deze coördinatie uitvoert, ook wel gezinscoach wordt genoemd[7].
Coördinatie van hulpverlening aan multi-probleemgezinnen is in eerste instantie een gemeentelijke verantwoordelijkheid[8]. Waar ook geïndiceerde jeugdzorg aan de orde is, is het een taak van bureau jeugdzorg. Bij coördinatie van zorg aan multi-probleemgezinnen zullen provincie en gemeenten samen moeten optrekken.

Opbrengsten van het experiment

Het experiment in Limburg liep tot juni 2005. Doel van het experiment was om ervaringen op te doen en een voortschrijdend inzicht te verwerven in gezinscoaching – en dat vast te leggen in methodische handreikingen of beschrijvingen.
Gedurende de twee jaar van het experiment is daarover gepubliceerd in nieuwsbrieven en handreikingen. Deze worden nu samengebracht in een uitgave onder de titel 'Dwars door alle verbanden. Gezinscoaching voor multi-probleemgezinnen' die net als 'het banen van een pad' is uitgegeven door Garant. In 'Dwars door alle verbanden' wordt beschreven hoe de lokale signalering kan worden ingericht, hoe de samenwerking tussen instellingen te organiseren en hoe gezinscoaching bekostigd kan worden. Centraal staat echter het werkproces van melden, via beoordelen naar het starten van een interventie.

In 'Het banen van een pad' staat het werk van de gezinscoach in het gezin en met de betrokken hulpverlening centraal.

---

7 In het Uitvoeringsbesluit Wet op de jeugdzorg is aangegeven dat in het geval dat jeugdhulp door bureau jeugdzorg is geïndiceerd ook coördinatie van hulpverlening onderdeel kan zijn van de aanspraak.

8 De staatssecretaris van VWS heeft op 3 juni 2003 (Kamerstuk 28606 nr. 8) met de Vereniging van Nederlandse Gemeenten (VNG), het Interprovinciaal Overleg (IPO) en MOgroep afgesproken dat coördinatie van hulpverlening een taak is die (ook) door gemeenten moet worden ingevuld. Het voornemen is om deze gemeentelijke verantwoordelijkheid wettelijk vast te leggen in de nieuw te ontwikkelen Wet maatschappelijke ondersteuning.

'Het banen van een pad' is geschreven door DSP-groep op basis van interviews met de gezinscoaches uit Limburg en 'hun' gezinnen.[9]
DSP-groep heeft gedurende de looptijd van het Programma Gezinscoaching onderzoek uitgevoerd. Het onderzoek is gericht geweest op terugkoppeling van relevante ervaringen door middel van tussentijdse onderzoeksnotities en bij afronding van het programma een methodische beschrijving. De provincie Limburg was inhoudelijk opdrachtgever van dit onderzoek en het Ministerie van VWS heeft het gefinancierd.
In deze methodische beschrijving geven we antwoorden op vragen als:

- Welke gezinnen hebben een gezinscoach nodig?
- Wie kan als gezinscoach optreden?
- Wat houdt het coachen van een gezin in?
- Wat is de meerwaarde van de gezinscoach in welke situaties?

Woord van dank
We danken alle gezinscoaches en gezinnen die hun ervaringen met gezinscoaching hebben willen vertellen opdat 'anderen ervan kunnen leren', zoals meerdere gezinscoaches en gezinnen letterlijk zeiden. Een leerproces waarin de gezinnen iemand in hun midden toelieten zonder vooraf te weten wat hen dit op zou leveren en waarin de gezinscoaches werkenderwijs hun rol en (meer)waarde op het spoor kwamen.

---

9 De beide andere handreikingen zijn, evenals deze methodische beschrijving, vastgesteld door de stuurgroep van het Programma Gezinscoaching Limburg.

2 [Gebruiksaanwijzing]

Methodische beschrijving, geen methodiek

'Het banen van een pad' presenteert de ervaringen van de Limburgse gezinscoaches en 'hun' gezinnen. Zoals in de inleiding ook al staat, focussen we hier op het werk van de gezinscoach in het gezin en met de betrokken hulpverleners. We hebben gekeken hoe de gezinscoaches in de praktijk vorm hebben gegeven aan hun taak en hoe de gezinnen dit hebben ervaren. Op basis daarvan hebben we een beeld samengesteld van het werk van de gezinscoach in diverse facetten: wat is een gezinscoach eigenlijk, wie heeft een gezinscoach nodig en waarom, wie wordt gezinscoach, wat doet hij precies en wat moet iemand kunnen als gezinscoach (de hoofdstukken van deze handleiding sluiten op deze facetten aan).
'Het banen van een pad' is geen evaluatie van het experiment in Limburg, maar gaat een stap verder. Op basis van de praktijksituaties zuiveren we de verschillen in manier van werken uit en schetsen daarmee het palet van de gezinscoach, voorzover dat nu zichtbaar is geworden. We hebben met deze beschrijving met andere woorden een momentopname gemaakt van een proces dat nog gaande is: het proces waarin de aard, de werkwijze en de (meer)waarde van de gezinscoach zich gaandeweg uitkristalliseren.
Een echte methodiek – in de zin dat het een theoretische onderbouwing en beproefde methode aanbiedt – is het dus niet. We zien deze methodische beschrijving vooral als een gids over gezinscoaching die informatie bevat waarmee anderen hun voordeel kunnen doen.

'Het banen van een pad' is in de eerste plaats bedoeld voor hulpverleners aan multi-probleemgezinnen en hun organisaties. Hulpverleners die gezinscoach zijn of (willen) worden of die zich buiten dat willen laten inspireren door de werkwijze van gezinscoaches.
We hopen ook dat het informatief kan zijn voor de gezinnen die – net als de gezinnen die hier beschreven staan – te maken hebben met een complexe problematiek waarop ze de grip zijn verloren en die in veel gevallen teleurgesteld zijn in de hulpverlening. We beseffen dat dit boekje qua toon en schrijfstijl lang niet altijd op hen zal aansluiten, maar misschien dat dit met een gezinscoach in de rol van gids, enigszins verholpen kan worden.
'Het banen van een pad' is nadrukkelijk ook bedoeld voor beleidsmakers, zowel de beleidsmakers van gemeenten als die van provincie en

rijk. De focus op de werkpraktijk van de gezinscoach voegt hopelijk 'vlees en bloed' toe aan de meestal toch wat droge beleidsterminologie en maakt inzichtelijk waarom het inzetten van een gezinscoach een waardevolle strategie kan zijn om de hulpverlening aan multiprobleemgezinnen te verbeteren.

Verantwoording

We baseren ons in deze methodische beschrijving op interviews met gezinscoaches en gezinnen. Daarnaast is input geleverd via een aantal intervisiebijeenkomsten voor gezinscoaches, registratieformulieren, intervisiebijeenkomsten voor coördinatoren gezinscoaching, nieuwsbrieven van het Programma Gezinscoaching en gesprekken met het programmamanagement. In een laatste fase hebben zowel de gezinscoaches als de coördinatoren commentaar op de tekst van deze beschrijving geleverd.

In totaal hebben we 16 gezinscoaches geïnterviewd (waaronder twee duo's) – alle gezinscoaches die in Limburg gedurende onze onderzoeksperiode aan het werk waren (op één uitzondering na). De meesten van hen hebben we twee of drie keer gesproken.
Verder hebben in totaal 12 (van de 14) gezinnen verteld over hun ervaringen met de gezinscoach. Alle gecoachte gezinnen spreken was niet mogelijk vanwege diverse omstandigheden.
Omdat we hebben ingezet op diepgaande, intensieve interviews, heeft dit relatief geringe aantal interviews echter een goed en betrouwbaar beeld gegeven. Tegen het einde van de reeks konden we al vaststellen dat dezelfde uitspraken en observaties terug begonnen te keren – een teken dat het beeld 'rond' begon te worden.

De verhouding tussen de gezinscoach en andere hulpverleners beschrijven we slechts vanuit het perspectief van de gezinscoach. Deze methodische beschrijving gaat niet in op de vraag hoe andere hulpverleners die in de gezinnen met een gezinscoach werkzaam waren, de gezinscoach hebben ervaren, noch hoe zij het werk van de gezinscoach beoordelen[10]. Moeizame samenwerking of conflicten tussen gezinscoach en hulpverleners zijn we in de Limburgse praktijk overigens niet of nauwelijks tegengekomen.

---

10 In de onderzoeksopzet was een gespreksronde langs de diverse hulpverleners niet opgenomen.

De verhouding tussen de gezinscoach en andere hulpverleners is wel een punt voor nader onderzoek, met name om scherper zicht te krijgen op het gezag en de 'speelruimte' van de gezinscoach waar het gaat om de coördinatie van de hulpverlening.

Leeswijzer

We beginnen in hoofdstuk 3 met een korte verkenning van het begrip coaching en de aantrekkelijkheid ervan voor de hulpverlening.
In hoofdstuk 4 beschrijven we zo kort mogelijk het proces dat vooraf gaat aan het inzetten van een gezinscoach in een gezin. In de praktijk zijn er twee typen multi-probleemgezinnen die een gezinscoach krijgen. Beide typen worden in hoofdstuk 5 toegelicht.
In hoofdstuk 6 gaan we in op de vraag wie gezinscoach kan worden. In Limburg zijn er drie categorieën gezinscoach: de hulpverlener die al werkzaam was in het gezin, iemand uit het sociale netwerk van het gezin of een hulpverlener die het gezin nog niet kent. Naast het vertrouwen van het gezin, heeft de gezinscoach een aantal andere zaken nodig om zijn werk goed te kunnen doen, zoals een heldere opdracht en de mogelijkheid om afstemgesprekken met gezin en hulpverleners in het gezin te kunnen voeren. Deze zaken zijn aan de orde in hoofdstuk 7.
In hoofdstuk 8 is het moment aangebroken waarop we de gezinscoach aan het werk zien. Hoofdstuk 9 reflecteert op de verschillende rollen van de gezinscoach en onderscheidt een aantal stijlen in gezinscoaching.
Hoofdstuk 10 bespreekt de dilemma's en spanningsvelden waar gezinscoaches mee te maken krijgen en geeft een opsomming van wat een gezinscoach zoal moet kunnen. De vaardigheden van een gezinscoach wijken in principe niet veel af van die van een 'gewone' hulpverlener of goede buur. Ze zijn echter wel belangrijk genoeg om nog eens neer te zetten. In hoofdstuk 11 laten we de gezinnen aan het woord en we eindigen 'Het banen van een pad' met een samenvattend hoofdstuk waarin we bondig onze observaties en analyses van (het werk van) de gezinscoach verzamelen.

Tot slot: we spreken steeds over de gezinscoach in de hij-vorm. Dit is een taalkundige keuze. Daarmee sluiten we dus de vele gezinscoaches die vrouw zijn, niet uit. Het merendeel van de gezinscoaches in Limburg is vrouw, trouwens.
Ook hanteren we in deze tekst de term 'coördinatie van de hulpverlening'. Deze term heeft wat ons betreft dezelfde betekenis als coördinatie van hulpverlening. Onder hulpverlening verstaan we zorg- én dienst-

verlening. Coördinatie van de hulpverlening impliceert dus ook afstemming met de woningbouwvereniging, de bewindvoering, de gemeentelijke afdeling sociale zaken, e.a.

3 [Wat is een gezinscoach?]

De coach

De term 'coach' kennen we uit de sport. Daar is een coach degene die de schone taak heeft een team of een persoon tot grotere hoogten te brengen. De coach voetbalt, atletiekt of roeit zelf niet, maar helpt de (sport)prestaties van degenen die hij coacht te verbeteren, helpt hen te winnen. De coach beweegt zich daarbij niet alleen op het fysieke en het tactische/strategische vlak, maar richt zich ook op de persoonlijke mentaliteit van degene die hij coacht. Want de coach is er op uit een positieve mentaliteit te (helpen) ontwikkelen, oftewel: incasseringsvermogen, doorzettingsvermogen en zelfvertrouwen.
Ook op andere terreinen dan de sport is de term coaching doorgedrongen. Acteurs hebben een coach, managers hebben een coach, misschien middenstanders inmiddels ook wel. In het bedrijfsleven is de praktijk van het coachen sterk ontwikkeld. Net als in de sport is coaching ook hier een manier om prestaties te verbeteren: kwalitatief beter te werken, meer verantwoordelijkheid te (durven) nemen, de persoonlijke mogelijkheden te vergroten en groei of ontwikkeling te bevorderen.

Zonder hier nu diep op het coachingsbegrip in te gaan, is het wel goed een aantal van de belangrijkste kenmerken/eigenschappen van de coach vast te stellen. Niet alleen om te begrijpen wat de relatie is met de gezinscoach, maar ook om de aantrekkelijkheid van het begrip in de hulpverlening te snappen.
We doen een poging en benoemen vijf belangrijke kenmerken van de coach:

1. De coach staat aan de zijde van persoon die hij coacht.
2. De coach neemt het niet over (de sport, het werk), maar leert de persoon die hij coacht om het zelf (beter) te doen.
3. De coach is een scherp waarnemer van de gecoachte persoon ín de situatie: hij ziet de (on)mogelijkheden van de gecoachte, de omstandigheden waarin deze verkeert en brengt deze met elkaar in verband (en geeft de gecoachte hierover feedback).
4. De coach heeft het gezag en/of het vertrouwen van de persoon die hij coacht, dat wil zeggen: de gecoachte erkent de coach en laat hem toe als waarnemer van zijn persoon en handelen.
5. De coach ziet ontwikkelingsperspectief.

Voorwaarde voor coaching is dat de persoon die gecoacht wordt de wens of wil heeft zich te ontwikkelen. Coaching staat of valt met een coachingsvraag. Dat is – gezien punt 1 – ook logisch. Wanneer de gecoachte zelf geen motivatie heeft om te leren en zich te ontwikkelen, kan een coach niet aan het werk (onder het motto: aan een dood paard moet je niet trekken).

De aantrekkelijkheid van het coachingsbegrip in de hulpverlening zou wel eens kunnen liggen in de relatie tussen coach en gecoachte. Coaching is op te vatten als een soort 'tegengif' voor de valkuil van iedere hulpverlener, namelijk in de plaats te treden van de cliënt en zijn of haar problemen oplossen ('de regie over te nemen'). Daarmee bevestigt de hulpverlener het onvermogen van de cliënt en maakt die bovendien van hem afhankelijk.
Voor cliënten die te maken hebben met hulpverleners, schuilt de aantrekkelijkheid van coaching wellicht in datzelfde: de coach is niet betuttelend maar adviserend, weet het niet bij voorbaat beter, maar luistert en beziet samen met jou (als cliënt) wat het beste is. In die zin is de coach misschien wel de ideale hulpverlener.

De gezinscoach

De gezinscoaches in Limburg laten grote verschillen zien in achtergrond, werkwijze en het soort taken dat ze vervullen. Qua achtergrond variëren ze van woonbegeleider tot gespecialiseerd verzorgende, van maatschappelijk werker tot vrijwillige opvoedingsondersteuner, van broer tot overbuurvrouw. Ze voeren gesprekken met het gezin, denken mee over oplossingen voor problemen, roepen hulpverleners bijeen. Ze helpen met het vinden van een nieuw huis na een uithuiszetting, ze proberen de uitkering die steeds maar op zich laat wachten voor elkaar te krijgen, bemiddelen in een conflict met een budgetteringsbureau of bemiddelen bij buurtoverlast. Ze geven advies in verband met het vinden van werk, ze gaan mee naar gesprekken op school, proberen opvang te regelen voor een gehandicapt kind en helpen met het op orde brengen van de financiële administratie. Hun tijdsinvestering varieert in de regel van een uur per twee à drie weken tot rond de vier uur per week. In een klein aantal gevallen was de tijdsinvestering (periodiek) groter, met name in crisissituaties.

Ondanks al die verschillen, kunnen we – nu het experiment in Limburg ten einde loopt en vooruitlopend op de volgende hoofdstukken van 'Het banen van een pad' – in grote lijnen wel komen tot een omschrijving van de gezinscoach:

1 De gezinscoach werkt in multi-probleemgezinnen (dat wil zeggen: met problemen op meerdere terreinen tegelijkertijd) die de grip op hun situatie zijn verloren. Altijd zijn dit gezinnen die al een geschiedenis met de hulpverlening hebben ('vaste klanten') en bij wie de hulpverlening slecht loopt (weinig of geen vertrouwen, slechte communicatie, onvoldoende afstemming).
2 De gezinscoach is de vertrouwenspersoon van het gezin. Hij staat aan de zijde van het gezin en heeft hun vertrouwen – waardoor het gezin hem kan toelaten als waarnemer en eventueel ook als zaakwaarnemer.
3 Vanuit zijn positie als vertrouwenspersoon vormt de gezinscoach de verbindende schakel tussen gezin en hulpverlening. Hij kan de hulpverlening bezien vanuit het perspectief van het gezin en andersom. Bij hem komt de informatie uit het gezin en die vanuit de hulpverlening rondom het gezin samen, hij kan vanuit die positie ook optreden als bemiddelaar, vertaler of 'tolk' (verduidelijken van rol en handelen).
4 Het doel van de gezinscoach is om het gezin de grip op de situatie te laten hervinden of – als dit niet mogelijk is – de situatie te stabiliseren. Dit om de ouders (beter) in staat te stellen opvoeder van hun kind(eren) te zijn.
5 Om dit doel te bereiken coacht de gezinscoach zowel het gezin als het hulpverleningsteam[11]. Hij werkt daarmee tegelijkertijd aan het herstellen en verbeteren van de relatie tussen gezin en hulpverlening.
6 De gezinscoach neemt géén taken van de bestaande hulpverlening over.

"Bij een coach moet ik toch altijd aan voetbal denken, iemand die elf mannetjes allemaal hun plaats geeft. Zo moet je als gezinscoach eigenlijk ook werken met de hulpverlening. Er moet er eentje boven staan," verwoordt één van de gezinscoaches zijn rol.

---

11 Een coördinator van de hulpverlening kan de gezinscoach niet genoemd worden. Het coachen van het hulpverlenersteam rondom het gezin houdt namelijk in dat hij stimuleert en bewaakt dat de hulpverlening aan het gezin afgestemd is en blijft.

Taak versus functie

Omdat het werk van de gezinscoach zo prominent op de voorgrond staat in 'Het banen van een pad', zal de lezer snel geneigd zijn om de gezinscoach op te vatten als een nieuwe functie, een nieuw type hulpverlener.
Dat is niet het geval – dat eventuele misverstand willen we hier meteen wegnemen. In principe is gezinscoaching een taak, geen aparte functie. Dat wil zeggen dat de gezinscoach het coachen 'erbij' neemt. Een hulpverlener die al in het gezin werkte of iemand uit het sociale netwerk van het gezin wordt gezinscoach en voegt deze taak toe aan wat hij al deed in het gezin.
Daarnaast komt het in de Limburgse praktijk voor dat een gezinscoach alleen als gezinscoach werkt. Dat is in het geval een 'nieuwe' hulpverlener gezinscoach wordt[12] – omdat het gezin behoefte heeft aan iemand die 'vers' tegen de situatie aankijkt, bijvoorbeeld.[13] Zo lijkt het dus alsof de taak toch een functie is geworden – waardoor het misverstand weer voeding krijgt.
Vóór alles is gezinscoaching een concept. Een sterk concept, al moet zich dat in de komende tijd nog meer bewijzen. Sterk aan het concept is vooral de notie van vertrouwenspersoon die voor langere tijd aan de zijde van het gezin blijft en die nadrukkelijk vanuit het perspectief van het gezin naar de hulpverlening aan het gezin kijkt.

---

12 Vergelijk hoofdstuk 6.

13 Overigens was een 'nieuwe' hulpverlener als gezinscoach (die alleen gezinscoach is en geen andere taken heeft in het gezin) het gevolg van een bewuste keuze van het gezin en niet het uitgangspunt van het Programma Gezinscoaching Limburg.

4 [Voor wie is gezinscoaching bedoeld?]

Kort gezegd, is gezinscoaching bedoeld voor multi-probleemgezinnen bij wie de hulpverlening onvoldoende effectief is en die geen regie hebben over hun situatie (en daarmee ook onvoldoende in staat zijn een goede opvoeder van hun kinderen te zijn).
Een adequate aanpak van multi-probleemgezinnen wordt gerealiseerd in een werkstructuur of proces dat drie fases beslaat: melden, beoordelen en interveniëren. We beschrijven dit proces hier kort[14].

Melden

In Limburg is gekozen voor een beperkte groep van professionele melders. Ruim eenderde van de meldingen waren afkomstig van bureau jeugdzorg[15]. De meldingen zijn bijna altijd afkomstig van voor de coördinatoren bekende hulpverleners (van binnen of buiten de eigen instelling). Voorwaarde is dus dat de coördinator van een meldpunt Multiprobleemgezinnen[16] breed en positief bekend zijn onder hulpverleners. Het is een uitvoerder met een helikopterview. Ervaring, opgedaan binnen het Programma Gezinscoaching, laat zien dat het beste gekozen kan worden voor een duo afkomstig uit het bureau jeugdzorg en Algemeen Maatschappelijk Werk.

Een melding wordt door de coördinator van het meldpunt getoetst aan de hand van de volgende vier criteria dat men start met de beoordeling:
1 met tenminste één minderjarig kind;
2 waarin de bestaande hulpverlening onvoldoende effectief is;
3 waarin er sprake is van een bredere problematiek dan de eigen hulpverlening van de melder (dat wil zeggen: alleen multi-probleemgezinnen);
4 die onvoldoende in staat zijn tot eigen regievoering.

Meldingen die hieraan voldoen worden geaccepteerd. Acceptatie betekent dat men start met de beoordeling. Met de criteria is nadrukkelijk

14 We vatten hier een groot aantal punten uit de tweede handreiking samen en vullen die hier en daar aan met nieuwe informatie.
15 Andere belangrijke melders waren het Algemeen Maatschappelijk Werk (18%), Jeugdgezondheidszorg (7%), politie (7%) en Thuiszorg (6%).
16 Tijdens het experiment heetten deze meldpunten gezinscoaching. Zie voor de inrichting van deze meldpunten de tweede handreiking.

gekozen alleen gezinnen die al hulpverlening hebben, in aanmerking te laten komen voor gezinscoaching.

Vervolgens zijn er twee mogelijke uitkomsten van de beoordeling:

- Het meldpunt geeft de melding terug. In Limburg was dit het geval in 44% van de meldingen. Het teruggeven van een melding (die wel aan de criteria voldoet) betekent dat het meldpunt de melder geadviseerd heeft hoe met de situatie om te gaan. Dit bleek voor de melder voldoende te zijn om de eigen hulpverlening aan het gezin te versterken. De meldpunten vervullen in die zin een consultatiefunctie. Dit verlaagt de drempel om te melden.
- Het meldpunt accepteert de melding. In de praktijk is dit vaak ook het moment dat ouders geïnformeerd worden en betrokken worden bij het zoeken naar oplossingen.
  Het accepteren van de melding leidt tot de volgende fase: beoordelen.

Beoordelen

De fase van beoordelen betekent een nieuwe ronde van informatie inwinnen. De tijd die nodig is vanaf het moment van melding tot aan de beoordeling over de meest effectieve interventie dient zo beperkt mogelijk te zijn. Het meldpunt vraag met name de hulpverleners die in het gezin werken om nadere informatie over het gezin, de problematiek en de effectiviteit van de hulpverlening (afstemming tussen gezin en hulpverlening en afstemming van de hulpverlening onderling). Verder is het in deze fase van cruciaal belang om het gezin zelf te horen om te achterhalen waarom zij denken dat de hulpverlening stagneert en om te achterhalen of er draagvlak is voor een interventie. Deze informatieronde kan op twee manieren vorm krijgen:

- Via een gezinsgesprek.
  De melder en/of de coördinator spreken met het gezin, nadat de coördinator informatie bij de betrokken hulpverleners heeft ingewonnen. In dit gesprek dient standaard toestemming van het gezin te worden gevraagd om – indien nodig – informatie bij andere instellingen in te winnen (privacy).
- Via een ronde tafel gesprek.
  Dit is een breed overleg met de betrokken hulp- en dienstverleners. Bij dit gesprek is het gezin in principe aanwezig. Het is van belang dat dit overleg op korte termijn gepland kan worden. Belangrijk is om de besluitvorming van te voren te regelen (wie hakt knoop door als er geen consensus wordt bereikt) – al is dat in

de praktijk soms moeilijk omdat de mensen voor het eerst met elkaar om de tafel zitten. Een andere voorwaarde is de betrokken hulpverleners ook de ruimte en mandaat hebben om echt tot uitvoeringsafspraken te komen. Hier is het nodig dat gemeenten, provincie en zorgkantoor samen met de betrokken instellingen afspraken maken over het – waar dat nodig is – prioriteit geven aan deze gezinnen.

Onderwerp van het gezinsgesprek en ronde tafel gesprek is vooral de vraag: wat is nodig in dit gezin?
Het betrekken van het gezin heeft een duidelijke meerwaarde. Er wordt niet langer over maar mét het gezin gesproken. Hulpverleners gaan daardoor meer kijken vanuit het perspectief van het gezin.

De uitkomst van deze beoordeling kan opnieuw zijn dat de melding wordt teruggeven, omdat geen meerwaarde van gezinscoaching wordt verwacht. In Limburg was dit het geval bij 22 van de casussen (25%). De belangrijkste redenen waren dat de reguliere hulpverlening voldoende mogelijkheden biedt; aanvullende zorg is geregeld; ouder(s) niet gemotiveerd zijn voor hulp of een ondertoezichtstelling is aangevraagd. Soms wordt na een beoordeling dus een bepaald aanbod uitgebreid om het gezin extra te ondersteunen, of wordt er een nieuwe vorm toegevoegd (bijvoorbeeld schuldsanering of gespecialiseerde thuiszorg). Wanneer hulpverleners concluderen dat vrijwillige hulpverlening onvoldoende oplevert wordt de Raad voor de Kinderbescherming ingeschakeld.

Interveniëren

Bij een positieve beoordeling van de melding zijn er twee opties:
inzet van coördinatie van de hulpverlening[17];
inzet van een gezinscoach.

Coördinatie van hulpverlening
Coördinatie van hulpverlening kan nodig zijn, wanneer naast vragen rond opvoeden en opgroeien ook andere/meer problemen voorkomen. De ouders weten niet waar ze aan toe zijn, maar de hulpverleners weten van elkaar ook niet wat er allemaal speelt.

---

17 In het experiment Limburg is niet duidelijk hoeveel maal gekozen is voor coördinatie van hulpverlening, omdat deze variant pas gedurende de rit actief is opgenomen in de registratie.

Coördinatie van hulpverlening gaat in complexe situaties verder dan het 'op elkaar afstemmen van ieders inzet' en vraagt om het optreden van betrokken hulpverleners als een samenhangend team. Het gaat dan om een herschikking van taken over de grenzen van de afzonderlijke instellingen heen. Dat wordt het meest duidelijk als één van de partijen de rol van gezinscoach op zich neemt, maar dat geldt ook al in situaties waarin 'alleen' coördinatie van hulpverlening nodig is. Het vraagt om afspraken over bekostiging en 'ruimte' om buiten protocollen te werken. In de verschillende handreikingen die door het Programma Gezinscoaching Limburg zijn uitgebracht zijn deze verder uitgewerkt. Kern daarbij is dat in het werken met multi-probleemgezinnen maatwerk nodig is en dat om dat maatwerk mogelijk te maken, juist in het werken met deze groep cliënten het loslaten van bureaucratisering nodig is. Alleen dan immers kan gewerkt worden volgens het model: één gezin, één plan, één team.

Inzet gezinscoach

In een aantal (19) casussen (22%) is in Limburg gekozen voor de inzet van een gezinscoach[18]. De belangrijkste reden om te kiezen voor de inzet van een gezinscoach is dat de ouders niet in staat worden geacht (zonder ondersteuning) de regie te kunnen voeren. Andere redenen waren dat het gezin niet of nauwelijks toegankelijk was voor hulpverleners of dat het gezin behoefte had aan een vertrouwenspersoon. In een paar gevallen was de afweging dat het gezin alleen met langdurende ondersteuning enigszins op de rails te houden zou zijn (in die gevallen ging het om gezinnen waarvan leden zwakbegaafd zijn of waarin psychiatrische ziekten voorkomen).

Drie voorwaarden waaraan de eventuele inzet van een gezinscoach moet voldoen:

- Het gezin moet vertrouwen hebben in de gezinscoach. Het gezin kiest de gezinscoach in de meeste gevallen dan ook zelf.
- Als besloten wordt tot inzet van een gezinscoach (veelal zal een van de aanwezige hulpverleners deze taak erbij nemen) wordt de rest van de hulp gecontinueerd.
- Tussen gezin, gezinscoach en hulpverleners in het gezin zijn afspraken gemaakt over afstemming (interventieplan). Dit betekent dat het gezin en de (aanstaande) gezinscoach in principe aanwezig zijn

---

18 Er zijn 4 gezinscoaches ingezet vanuit het sociale netwerk van het gezin (familie, buren). De overige gezinscoaches zijn werkzaam binnen de hulpverlening. Van deze gezinscoaches is tweederde werkzaam (geweest) in het gezin en drie zijn onbekenden voor het gezin. De professionele gezinscoaches zijn werkzaam bij het Algemeen Maatschappelijk Werk, het bureau jeugdzorg, de gespecialiseerde gezinsverzorging en een jeugdzorgaanbieder.

bij het gesprek waarin tot inzet van de gezinscoach wordt besloten. Op deze manier kunnen de samenwerkingspartners in het gezinscoachingtraject (gezin, betrokken hulpverlening en gezinscoach) gezamenlijk en vanuit een gelijkwaardige positie starten.

5 [Twee typen gezinnen]

De ervaringen met gezinscoaching in Limburg leren dat het zinnig is om een onderscheid te maken tussen twee typen multi-probleemgezinnen: 'leerbare gezinnen' en gezinnen voor wie stabiliseren het meest haalbaar is. Met behulp van de begrippen 'draagkracht' en 'draaglast' illustreren we dat.
Eén van de gezinscoaches verwoordt het verschil tussen beide typen zo:
"Sommige mensen zijn van het spoor af en die zet je makkelijk terug. Anderen kunnen de weg niet vinden. Die zijn op de een of andere manier beschadigd en hebben bescherming nodig. Die kunnen door iets kleins in grote problemen komen. Het begint altijd met iets kleins. Ze zijn een bankafschrift kwijt, waardoor hun uitkering stopt. Dan stopt ook de automatische incasso en de huur wordt niet meer betaald, waardoor uithuiszetting dreigt. Ze pakken het niet op met als gevolg dat zo'n kleine aanleiding uitgroeit tot een groot probleem. En niemand heeft compassie met die gezinnen."

Verstoorde relatie

In Limburg heeft men ervoor gekozen gezinscoaching in te zetten bij gezinnen die al hulpverlening hebben en bij wie deze hulpverlening niet goed loopt.
Deze gezinnen blijken allemaal een (in meer of mindere mate) verstoorde relatie met de hulpverlening te hebben op het moment dat de gezinscoach binnen komt.
In veel gezinnen bestaat een stevige dosis teleurstelling in en/of wantrouwen jegens de hulpverlening – zeker wanneer (dreiging van) ondertoezichtstelling en/of detentie in het geding is. Veel onrust en gevoel van dreiging in het gezin ontstaat door een gebrekkige, niet adequate communicatie tussen gezin en hulpverlening. Bij gezinnen waar al van alles mis is, versterkt de hulpverlening bovendien regelmatig het gevoel dat ze het niet goed doen – als gezin, als vader of als moeder. Dat ondermijnt hun zelfvertrouwen en bevestigt het gevoel dat het toch allemaal geen zin heeft – waarmee het gezin de hulpverlening op afstand zet.
Voor sommige gezinnen is de hulpverlening soms gewoonweg een nachtmerrie. De vader van één van de gezinnen vertelt:
"Dan zit ik aan de tafel met al die hulpverleners, kijk ik om mij heen en dan denk ik: waar ben ik in godsnaam in beland?"

De verstoorde relatie met de hulpverlening is een gegeven voor de gezinscoach, waarop hij vanuit zijn vertrouwenspositie goed kan ingrijpen.

Draagkracht en draaglast

De gezinscoach kan zowel werken aan het vergroten van de draagkracht van het gezin (door het gezin te coachen) als aan het verkleinen van de draaglast (door het (blijvend) afstemmen van de hulpverlening)[19].
De draagkracht van een gezin kan vergroot worden door de vaardigheden te versterken. Dat vraagt van de leden van het gezin dat ze 'leerbaar' zijn (de wil én de mogelijkheid hebben te leren en zich te ontwikkelen).
De draaglast van een gezin wordt verminderd door een betere afstemming van de hulpverlening. Daarbij is het goed in gedachten te houden dat de hulpverlening voor een gezin werkelijk zwaar kan zijn. Sommigen hebben er een dagtaak aan. De vader van een gezin vertelt:
"Er zijn zoveel instanties bij ons en we hebben ook nog te maken met wisselende hulpverleners. Soms belt iemand op en dan weet je niet wie dat is en waar die voor is. Of je moet bellen met mensen die je niet te pakken krijgt. Dan krijg je weer iemand anders en dan moet je weer terugbellen. Soms wel vier of vijf keer. De afgelopen tijd kwamen er veel nieuwe instanties bij. We hebben te maken met vier verschillende scholen, met jeugdzorg, met pleegzorg, bewindvoering, maatschappelijk werk... En steeds moet je weer je verhaal vertellen – vaak aan vreemde mensen."

'Leerbare' gezinnen

'Leerbare' gezinnen hebben in principe de mogelijkheid om zelf de regie weer op te pakken. Dat zijn de gezinnen die de gezinscoach kan coachen op draagkracht: hen leren om hun zaken weer zelf op de pakken. Omdat de gezinscoach tegelijkertijd werkt aan het verminderen van de draaglast (door een goede afstemming van de hulpverlening) krijgt het gezin ook de 'adem' en ruimte om dit te doen.

---

19 Voor wat dit laatste betreft, bouwt de gezinscoach voort op het proces van afstemmen van de hulpverlening dat voorafging aan zijn inzet als gezinscoach.

Een vader verliest zijn vrouw, gaat failliet en heeft grote problemen met het opvoeden van zijn kinderen. Dat komt ook omdat hij erg verdrietig is. De gezinscoach werkte eerder al een tijdje als jeugdhulpverlener in het gezin. Toen de moeder nog leefde was er in dit gezin ook al behoefte aan ondersteuning in de opvoeding, maar de moeder had die vervolgens weer opgezegd.
Ondanks de vele problemen en al het verdriet ging het razendsnel de goede kant op met het gezin. "Dat had vooral te maken met de inzet en motivatie van de vader. Alles wat de hulpverlening hem aanbood, nam hij met open armen aan. De tips over de opvoeding van de kinderen bracht hij direct in de praktijk. Hij vertelde ook steeds hoeveel beter het met de kinderen ging en gaf goed aan waar hij moeite mee had en waar de problemen lagen." Met een beetje hulp van het centrum voor werk en inkomen werd het faillissement goed afgewikkeld en vader was eigenlijk meteen ook alweer bezig een baan te vinden. Via het Riagg heeft hij iemand die hem begeleidt bij het verwerken van de dood van zijn vrouw.
"Ik ken wel mensen in mijn omgeving die niks op hebben met de hulpverlening," vertelt de vader. "Er heerst volgens mij sowieso een groot wantrouwen als het over het functioneren van de hulpverlening gaat. Maar ik dacht: die mensen zijn er niet voor niks en ze hebben het beste met me voor. Dat is namelijk hun werk, om het beste met je voor te hebben. Ik heb dus alles aangenomen wat er gezegd werd en dat in de praktijk gebracht.
Ik zag door de bomen het bos niet meer. Door de gezinscoach kreeg ik weer overzicht. Hij zorgde ervoor dat ik stap voor stap de problemen weer het hoofd kon bieden. Ik ben erg tevreden. Want nu kan ik het weer zo'n beetje alleen – en dat is natuurlijk het streven."

'Stabiliseerbare' gezinnen

In gezinnen die niet of nauwelijks 'leerbaar' zijn, is het stabiliseren van de gezinssituatie het hoogst haalbare doel (stutten en steunen).

Een gezinscoach vertelt dat het gezin waar hij werkt altijd problemen heeft. Na een burenruzie is er weer een akkefietje op de school van de kinderen, dan is er weer ruzie met de familie, dan moeten er geldzaken geregeld worden, dan komt vader weer in de WW en moet er werk gezocht worden, vervolgens kinderopvang. Het gezin heeft een aaneenschakeling van problemen die wel teruggedrongen kunnen worden, maar waarschijnlijk zal er zich elke keer weer een nieuw probleem voordoen. De ouders zijn zwakbegaafd. Een kind heeft ADHD en ze wonen in een problematische buurt. De gezinscoach weet niet wanneer zijn werk eindigt. "Soms moet je voor een pragmatische oplossing kiezen, daar kom je werkenderwijs achter. Een verhuizing is de weg van de minste weerstand. Natuurlijk kun je proberen de problemen in de buurt op te lossen, maar dat was in dit geval een lange weg. Door te verhuizen kan het gezin weer met een schone lei beginnen – in de nieuwe wijk, met de nieuwe school. De andere problemen zoals geldproblemen, werkloosheid, opvoedingsproblemen, worden dan hopelijk meer hanteerbaar."

Gezinscoaching is maatwerk

Het type gezin vraagt van de gezinscoach een specifieke focus. Naarmate het lerend vermogen van het gezin kleiner is, zal de nadruk meer liggen op afstemming van de hulpverlening.
Ook de duur van de gezinscoaching verschilt al naar gelang het type gezin. Gezinnen met weinig of geen ontwikkelingsmogelijkheden, bij wie het gaat om het stabiliseren van de situatie zullen in de regel langdurig gezinscoaching nodig hebben. Gezinnen die met behulp van de gezinscoach in staat zijn hun leven weer goed op de rails te zetten, zijn geholpen met een veel kortere inzet.

6 [Wie wordt gezinscoach?]

Gedurende het experiment in Limburg kon eigenlijk iedereen gezinscoach worden. Er waren geen restricties gesteld, behalve die ene belangrijke voorwaarde dat het gezin vertrouwen heeft in de gezinscoach en hem of haar bij voorkeur ook zelf uitkiest. Een andere voorwaarde is dat de gezinscoach kan samenwerken met de hulpverleners in het gezin.
In de praktijk zien we de volgende diversiteit aan gezinscoaches:

- De gezinscoach is een hulpverlener die al werkzaam was in het gezin.
- De gezinscoach is iemand uit het sociale netwerk van het gezin (familie, buren, vrienden).
- De gezinscoach is een voor het gezin onbekende hulpverlener.

Hulpverlener die al werkzaam was in het gezin

Dit komt in de Limburgse praktijk het meeste voor. Meestal is de gezinscoach een maatschappelijk werker of een gespecialiseerd verzorgende, soms ook een woonbegeleider, een werker van bureau jeugdzorg.
De gezinscoach combineert zijn rol meestal met zijn 'oude' taken als hulpverlener in het gezin. Het is belangrijk om de rol en taken als gezinscoach goed te blijven onderscheiden van die 'oude' hulpverleningstaken. Dat is niet altijd even gemakkelijk, want ze liggen vaak in elkaars verlengde.
Onderscheid maken tussen de oorspronkelijke taken als hulpverlener in het gezin en de taken als gezinscoach is verhelderend voor de hulpverlening rondom het gezin, maar ook belangrijk voor de gezinscoach zelf. Het onderscheid geeft een reëel beeld: het maakt duidelijk wat het gezinscoachingsschap aan extra inspanning vraagt en maakt die rol niet zwaarder (of lichter) dan die is.

Een gespecialiseerd verzorgende die daarnaast ook gezinscoach is geworden in een asielzoekergezin dat uitgezet dreigt te worden, maakt het onderscheid als volgt: *"Mijn belangrijkste taak als gespecialiseerd verzorgende in dit gezin is de kinderen kind te laten zijn in de tijd die ik er ben. De twee meisjes, van twee en drie jaar, zitten de hele dag tussen de vier muren van dat kleine kamertje in het asielzoekerscentrum waar ze geen rommel mogen maken, rustig moeten zijn, niet kunnen spelen, soms geslagen worden. Als gezinscoach ben ik het aanspreekpunt voor de hulpverlening. Alles loopt via mij. Het gezin had, wat vaker voorkomt bij asielzoekers, 'shopgedrag' ten aanzien van de hulpverlening. Dat is heel begrijpelijk. Ze leven in een heel onzekere situatie met de voortdurende dreiging het land uitgezet te worden. Dus proberen ze gewoon zoveel mogelijk mensen aan zich te binden om hen te helpen. Maar er was veel onrust hierdoor; in het gezin en bij de hulpverlening."*

In dit gezin kan ze haar rol als gespecialiseerd verzorgende en gezinscoach heel goed combineren. Ze liggen in elkaars verlengde: als er meer rust in het gezin is, is dat ook voor de kinderen goed. Deze gezinscoach kan zich echter ook gezinnen voorstellen bij wie zo'n combinatie praktisch niet mogelijk is. Zo werkt ze in een gezin met een sterk manipulatieve moeder.

"Als ik daar ook gezinscoach zou worden, zou ik aan de zijde van die moeder moeten staan. Dat laat zich slecht verenigen met dat manipulatieve.Ik zou dan te diep in het gezin worden getrokken."

Iemand uit het sociale netwerk van het gezin

De provincie Limburg vond van meet af aan dat ook personen uit het sociale netwerk (familie, vrienden, buren) van het gezin de rol van gezinscoach moesten kunnen vervullen. Zo kon voortgebouwd worden op een al bestaande vertrouwensband. In de praktijk zijn er echter weinig gezinscoaches uit het sociale netwerk gekozen.

Er zijn verschillende argumenten tegen een gezinscoach uit het sociale netwerk:

- Veel gezinnen willen de vuile was niet buiten hangen, willen voor hun familie en/of vrienden of buren niet weten dat ze problemen hebben.
- Veel gezinnen zijn bang dat, als er iets mis gaat in het gezinscoachingtraject, ze gelijk ook de band met een vriend(in)/familielid verliezen.
- Sommige gezinnen hebben (vrijwel) geen sociaal netwerk.
- Weerstanden vanuit de professionele hulpverlening. Sommige hulpverleners en hun organisaties hebben een zekere weerstand om samen te werken met niet-professionals. Dat speelt zeker een rol bij organisaties waar de bescherming van persoonlijke gegevens (privacy) sterk in de bedrijfscultuur is verankerd.

Er zijn ook argumenten om wél voor een gezinscoach uit het sociale netwerk te kiezen. De betrokkenheid en het gezag van een broer bij de

kinderen van zijn zus, het 'hart' dat een buurvrouw voor het gezin heeft. Iemand uit het sociale netwerk kan soms meer vertrouwen wekken, 'veiliger' en dichterbij zijn – zeker als het gezin slechte ervaringen heeft met de hulpverlening.
In het geval iemand uit het sociale netwerk gezinscoach wordt, kunnen gezin en gezinscoach voortbouwen op de band die ze al hadden. Een broer en zijn vrouw werden gezinscoach bij een gezin met twee puberende jongens. De vader was twee jaar geleden overleden. De jongens zijn moeilijk hanteerbaar voor de moeder en dreigen in hun gedrag steeds meer over de schreef te gaan, waardoor ze in aanraking met de politie komen en dergelijke. Door het feit dat de broer en zijn vrouw nu gezinscoach zijn wordt hun betrokkenheid versterkt én geformaliseerd – wat vooral zowel bij de moeder als de beide jongens 'werkt'. De moeder had deze stap (het formaliseren) nodig om haar broer en schoonzus echt toe te laten naast zichzelf in de opvoedersrol. Voor de jongens is de noemer gezinscoach een teken dat het een serieuze zaak is.
Een ander voorbeeld is de overbuurvrouw van een gezin dat veel overlast en weerstand oproept in hun buurt. Er spelen ook andere problemen, zoals slechte hygiëne, slechte verzorging van de kinderen en schulden. Deze buurvrouw is gezinscoach geworden en juist als buurvrouw kan zij goed bemiddelen in de buurt.

In Limburg waren er geen criteria waaraan iemand uit het sociale netwerk moet voldoen, wil hij gezinscoach worden – behalve dan dat hij het vertrouwen heeft van het gezin en in staat is samen te werken met de hulpverlening. Voorlopig lijken deze beide criteria voldoende.[20]

Een voor het gezin onbekende hulpverlener

Als een voor het gezin onbekende hulpverlener gezinscoach wordt, komt dit vaak voort uit de behoefte van het gezin aan een professioneel persoon (zonder voorgeschiedenis met het gezin) die het gezin en de hulpverlening daaromheen onbevangen en onbevooroordeeld kan waarnemen.

---

20 Een ander punt dat een rol speelt wanneer iemand uit het sociale netwerk gezinscoach wordt, is de 'inbedding' (vergelijk ook hoofdstuk 7). Een niet-professional als gezinscoach heeft wellicht meer de behoefte terug te vallen op de coördinator van het meldpunt waar het gaat om afstemmingsvragen ten aanzien van de hulpverlening. Vanuit het experiment in Limburg is echter te weinig ervaring op dit punt opgedaan om hierover meer algemene uitspraken te kunnen doen.

Ook als het gezin niet zo'n idee heeft van wie er gezinscoach moet worden en er in het bestaande professionele of sociale netwerk geen geschikte gezinscoach voorhanden is, wordt een onbekende professional gezinscoach.
Een moeder van een gezin die op deze manier een gezinscoach koos, zegt:
"We wilden iemand die fris tegenover de situatie staat. Ja, natuurlijk moest dat een hulpverlener zijn. Die is professioneel. We willen niet te koop lopen met onze problemen, daar heeft mijn familie niets mee te maken – en mijn buren al helemaal niet. We kozen voor de hulpverlener die het snelst kon beginnen. Want het water stond aan onze lippen."

De relatie gezinsvoogd en gezinscoach

De eerste optie, een hulpverlener in het gezin gezinscoach te maken, is dus een goede en veel voorkomende. Er is echter één uitzondering: de rol van gezinsvoogd en die van gezinscoach laten zich niet verenigen vanwege een fundamenteel verschil tussen beide functies. De gezinscoach is vrijwillig en de gezinsvoogd is opgelegd. De gezinsvoogd is belast met het juridisch gezag en kan ingrijpen en de kinderen uit huis plaatsen. De gezinscoach heeft alleen overredingskracht. De gezinsvoogd is voor de meeste gezinnen dan ook een bedreigende figuur, geheel tegenovergesteld aan de vertrouwensrelatie van de coach met het gezin.
De combinatie van een gezinscoach en een gezinsvoogd in een gezin kan leiden tot een min of meer vruchtbare samenwerking. De gezinsvoogd heeft de rol om controle en zonodig dwang uit te oefenen en de gezinscoach is degene die met het gezin het contact onderhoudt, goed communiceert en 'de vinger aan de pols' houdt. In zo'n geval kan de gezinsvoogd meer op de achtergrond blijven.
Een gezinscoach verwoordt het zo: *"Ik vind het prettig dat er een gezinsvoogd is, vooral om de verantwoordelijkheid mee te delen. Want ik vind het welzijn en de veiligheid van de kinderen als gezinscoach een te zware verantwoordelijkheid, in mijn eentje. Als gezinscoach heb je geen enkele macht. Je kunt coachen, praten, overreden. Maar niet ingrijpen. Niet dwingen."*
De gezinsvoogd kan ook de vertrouwensband van gezinscoach en gezin gebruiken om het vertrouwen met het gezin te herstellen en opnieuw op te bouwen. Dat vereist echter zorgvuldigheid. Als illustratie kan een gezin dienen, waar de relatie tussen de gezinsvoogd en het gezin (alleenstaande moeder) grondig verstoord was. De gezinsvoogd wilde achter de rug van de moeder om handelen (een dochter

van 16 jaar die onder toezicht stond, spreken) en de gezinscoach daarin betrekken – waardoor de gezinscoach in een loyaliteitsconflict ten aanzien van het gezin terecht kwam. De gezinsvoogd mag de vertrouwensrelatie tussen gezinscoach en gezin dus niet misbruiken.

Het gezin kiest

Het gezin kiest de gezinscoach en de keuze voor een gezinscoach is een vrijwillige. Als het gezin akkoord gaat met de methode van gezinscoaching, brengt het in principe zelf de persoon naar voren.
De motivatie voor het kiezen van een coach is wisselend. Zoals eerder al geschetst, wil het gezin soms een coach uit het bestaande professionele netwerk, soms een onbekende professional, soms iemand uit hun sociale netwerk. Het belangrijkste criterium 'vertrouwen' begint met de vrijwillige keuze van een gezin voor een coach.
Soms weet een gezin meteen een geschikte coach. In de overige gevallen zijn er andere manieren om een gezinscoach aan het gezin te koppelen:
Vanuit het team van hulpverleners rondom het gezin bestaat al een idee over wie van deze hulpverleners gezinscoach zou kunnen worden. Aan het gezin wordt in dat geval deze keuze voorgelegd, door de coördinator van het meldpunt ofwel een hulpverlener in het gezin.
Als een gezin een onbekende hulpverlener als gezinscoach wil, is het logisch dat die voortkomt uit het netwerk van de coördinator. De coördinator maakt een match, maakt een inschatting van welke persoon het beste bij een gezin past. Hoewel de matching van gezin en coach dus min of meer toevallig is en alleen op basis van kennis en kunde van de coördinator plaatsvindt, blijkt dit in de praktijk vaak goed te werken. Meestal klikt het meteen bij het voorstellen van de gezinscoach.
Een persoon uit het netwerk van het gezin kan zélf aanbieden om gezinscoach te worden.
Degene die het gezin aanmeldt bij de coördinator, kan aanbieden gezinscoach te worden.

Altijd blijft het zo dat een gezin de coach op basis van vrijwilligheid kiest. Het heeft een 'veto' wanneer vanuit de hulpverlening een coach wordt aangedragen die niet hun vertrouwen heeft.

7 [Wat heeft de gezinscoach nodig?]

Naast het feit dat hij het vertrouwen heeft van het gezin, zijn er een paar zaken nodig om een gezinscoach zijn werk goed te kunnen laten doen: een heldere opdracht, de mogelijkheid om afstemgesprekken te voeren met hulpverlening en gezin, intervisie en andere vormen van feedback. Organisatorisch moet de gezinscoach ook goed 'ingebed' zijn, zonder dat kan hij niet functioneren.
Allemaal zijn het zaken die kunnen voorkomen dat de gezinscoach 'opgebrand' raakt of verdwaalt op het niet gebaande pad dat gezinscoaching heet.

Heldere opdracht

Het opdrachtgeverschap ligt niet simpel in het geval van een gezinscoach. Gezinscoaching is een samenwerking tussen gezin, hulpverlening en gezinscoach. De gezinscoach is de verbindende schakel tussen gezin en hulpverlening en in die zin kunnen gezin en de gezamenlijke hulpverleners gezien worden als 'opdrachtgever' van de gezinscoach. De taak van de gezinscoach is echter om eigenstandig een verbinding te vinden tussen gezin en hulpverlening. Wat dit betreft moet de gezinscoach een grote mate van zelfstandigheid aan de dag leggen. Een heldere opdracht is daarbij een goede richtingaanwijzer.

De opdracht aan de gezinscoach werd in Limburg in het zogeheten ronde tafel gesprek geformuleerd (zie hoofdstuk 4).
De opdracht kan variëren in de mate van gedetailleerdheid. Een opdracht kan bestaan uit een lijstje van zeer specifieke taken en doelen (zoals bespreekbaar maken van de reactie van de vader op de kinderen en op andere mensen of het regelen van extra opvang voor de kinderen). Een opdracht kan ook de grote lijnen aangeven, zoals:

- rust brengen in en om het gezin;
- het gezin helpen weer grip te krijgen op de gezinssituatie;
- herstellen van het contact met de hulpverlening;
- ontlasten van het gezin, de ouder(s) ondersteunen;
- zicht krijgen op de problematiek (bijvoorbeeld ontwikkelingsproblemen van de kinderen).

Vast aandachtspunt in het opdrachtenlijstje van de gezinscoach is daarnaast de afstemming van de hulpverlening. Hoe 'zwaar' of 'licht' deze taak voor de gezinscoach is, is afhankelijk van:

- Waar het zwaartepunt van deze gezinscoach ligt: op het coachen van het gezin (het vergroten van de draagkracht) of op de afstemming van de hulpverlening (verkleinen van de draaglast).
- De zwaarte van de hulpverlening in het gezin. Er zijn gezinnen die een enorme hoeveelheid hulpverlening krijgen (16 hulpverleners rond het gezin was het maximum dat we in Limburg zijn tegengekomen), bij andere gezinnen blijft het bij twee of drie hulpverleners.
- Hoe 'zelfcoördinerend' het team van hulpverleners rondom het gezin al is.
- De inzet van de coördinator: soms ook is niet de gezinscoach maar bijvoorbeeld de coördinator van het meldpunt gezinscoaching de aangewezen persoon als het gaat om het afstemmen van de hulpverlening. Bijvoorbeeld wanneer de gezinscoach uit het sociale netwerk van het gezin komt, kan dit het geval zijn.

Afstemgesprekken

Het regelmatig houden van wat wij hier afstemgesprekken noemen, is een goed instrument voor gezinscoaches in gezinnen waar de afstemming van de hulpverlening blijvend aandacht en impulsen nodig heeft. Ook het 'monitoren' (of in de gaten houden) van hoe de gezinscoaching verloopt, kan onderdeel zijn van een dergelijk afstemgesprek.
Het doel van de afstemgesprekken is een uitwisseling van informatie en zienswijze tussen hulpverlening onderling en gezin: gezamenlijk vaststellen wat goed loopt en wat niet, of er wellicht een nieuwe hulpvraag in het gezin is gekomen en dergelijke zaken meer. Het afstemgesprek is ook een goede vorm om de afzonderlijke en de gezamenlijke verantwoordelijkheden helder te houden (en verantwoordelijkheid te delen).
De gezinscoach is in principe de persoon die de afstemgesprekken voorzit. Het gezin is bij voorkeur aanwezig bij een afstemgesprek, al zijn er in bepaalde situaties ook redenen of argumenten om het zonder het gezin te doen. De aanwezigheid van het gezin is belangrijk omdat zo werkelijk het gesprek tussen hulpverlening en gezin gevoerd kan worden en niet 'over het hoofd' van het gezin heen. Dit is bij veel multi-probleemgezinnen (die vaak een lange geschiedenis van slechte ervaringen met de hulpverlening hebben) een gevoelig punt.
Redenen of argumenten waarom het gezin de afstemgesprekken niet bijwoont, kunnen onder andere zijn: het gezin wil niet, het gezin heeft vertrouwen in de gezinscoach als woordvoerder en rapporteur, het gezin zegt toch niet te snappen wat gezegd wordt en ervan in de war te raken.

De frequentie van de afstemgesprekken zal per situatie verschillen: van nooit tot een keer per half jaar tot een keer per 3 à 4 maanden tot maandelijks.

In Limburg organiseerden sommige gezinscoaches deze gesprekken, anderen hadden daar geen behoefte aan en deden het met (telefonische) één-op-één gesprekken met betrokken hulpverleners. In weer andere gevallen was het de coördinator van het meldpunt die een gesprek organiseerde en voorzat. En in een enkel geval was er een regelmatig overleg tussen een aantal hulpverleners (zoals een gezinsvoogd en een maatschappelijk werker van bureau jeugdzorg bijvoorbeeld) waarbij ook de gezinscoach aanschoof.
Het is in ieder geval belangrijk dat het organiseren van afstemgesprekken in de 'gereedschapskist' van de gezinscoach zit. Het is echter niet de bedoeling om hiermee een bureaucratische structuur toe te voegen. Of het houden van afstemgesprekken zinnig is, hangt van de situatie af.

Een gezinscoach (een gespecialiseerd verzorgende) die eens per maand zo'n bijeenkomst organiseert, vertelt over het nut ervan:
"Via dat continue overleg krijg je meer handvatten om richting te geven, om duidelijk te krijgen: hoe gaan we het doen en waarom. Zeker als de hulpvraag van het gezin niet zo duidelijk ligt, is zo'n gesprek goed. Omdat iedereen vanuit zijn eigen discipline zijn informatie en zienswijze inbrengt, krijg je het plaatje compleet. En kun je verantwoordelijkheid delen."

Intervisie en andere vormen van feedback

Gezinscoaches werken in complexe situaties die veel creativiteit en improvisatie vragen. Soms zijn ze crisismanager, soms moeten ze oplossingen vinden buiten gebaande paden om. Het is daarom belangrijk dat ze de mogelijkheid hebben om zo nu en dan afstand te nemen van de situatie en hun eigen handelen, om daarop feedback te krijgen. Wanneer gezinscoaches in het gezin 'ingezogen' dreigen te raken – iets wat door de intensiteit van gezinscoaching gecombineerd met de vertrouwensrelatie met het gezin nog wel eens voorkomt – is intervisie of een andere vorm van feedback belangrijk. De behoefte daaraan zal van persoon tot persoon verschillen, in ieder geval moet wel de mogelijkheid tot intervisie bestaan – juist omdat gezinscoaching een taak is die door relatief weinig mensen wordt uitgeoefend (hulpverleners en niet-hulpverleners, hulpverleners bovendien vanuit

verschillende organisaties).
Naast intervisie zijn er ook andere mogelijkheden voor feedback.
In Limburg werkte de gezinscoach in een paar gevallen als duo in het gezin (samen met een collega-gezinscoach of collega-hulpverlener). Het voordeel van een duo is dat het snelle en directe feedback op het eigen handelen mogelijk maakt. Ook even overleggen over beslissingen die genomen moeten worden is makkelijk binnen een duo.
Gezinscoaches die professioneel hulpverlener zijn kunnen binnen hun eigen organisatie feedback organiseren: bij hun leidinggevende en/of in werkbesprekingen met collega's.

Organisatorische inbedding

Om een aantal redenen is een goede organisatorische inbedding van de gezinscoach nodig:

- Tijd en ruimte in regels.
  De gezinscoach moet – wanneer hij hulpverlener is en gebonden aan een organisatie – van zijn eigen organisatie de tijd krijgen en ook de ruimte om eventueel buiten de regels om te kunnen handelen. Daarover moet hij intern afspraken kunnen maken en daarvoor zijn ook op bestuurlijk niveau afspraken nodig (zie verder).
  De noodzaak om als gezinscoach zowel tijd als ruimte in regelgeving te krijgen, laat zich het beste verduidelijken door middel van een citaat van een gezinscoach (een gespecialiseerd verzorgende):
  "Als gezinscoach moet je buiten het keurslijf van regels binnen je eigen organisatie kunnen treden als dat nodig is. Ik kan als gezinscoach bijvoorbeeld het gezin met mijn auto meenemen naar het ziekenhuis als hun dochter daar naar toe moet om haar amandelen te laten knippen. Als er een reden is dat beide ouders samen weg moeten – naar de gynaecoloog bijvoorbeeld – dan mag ik bij de kinderen blijven. Dat kan ik als gespecialiseerd verzorgende niet doen, dan gelden er regels om misbruik te voorkomen: we zijn geen taxi bedrijf of babysitters. Als gezinscoach mag ik – méér dan als gespecialiseerd verzorgende – zelf beoordelen wat goed is en in dit geval weet ik dat het gezin geen misbruik maakt. In een ander gezin kan dat weer anders zijn. Het feit dat ik buiten bepaalde regels om kan opereren, is heel praktisch."

- Terug kunnen vallen op de coördinator.
  De gezinscoach moet kunnen terugvallen op de coördinator van het meldpunt multi-probleemgezinnen, wanneer dit nodig blijkt.

Dat kan zijn om een afstemgesprek met de hulpverleners voor te zitten, maar ook bij eventuele verschillen in visie of conflicten tussen hulpverleners aan het gezin[21]. Wanneer 'derden' in het geding zijn – zoals de nutsbedrijven die een gezin dreigen af te sluiten bijvoorbeeld – kan het goed zijn voor de gezinscoach om terug te vallen op de coördinator.

21 De mogelijkheid om terug te kunnen vallen op de coördinator is ook relevant met betrekking tot de vraag 'wie de baas is' en de 'macht heeft' om beslissingen te nemen bij conflicten. Dit punt is aan de orde in hoofdstuk 8 onder 'Dynamisch systeem'.

8 [Het coachen van gezin en hulpverlening]

Dan is het moment gekomen waarop de gezinscoach daadwerkelijk kan starten. Hij heeft een opdracht op zak, een lijst van de betrokken hulpverleners ook. Hij kent het gezin nog niet, net of al langer. Het is goed dat hij in deze startpositie nog even stilstaat bij de coachingsvraag:
Ligt de nadruk op het coachen van het gezin, is dit een 'leerbaar' gezin? En wat moeten ze leren?
Ligt de nadruk op het coachen van de hulpverlening. Waar liggen de blokkades in samenwerking, waar is het contact met het gezin stroef?
In een aantal gevallen zal de hulpverlening rondom het gezin al min of meer afgestemd zijn en komt de gezinscoach wat dit betreft in een geordende situatie terecht. Dat is een ideale situatie die in de praktijk lang niet altijd mogelijk is (bijvoorbeeld vanwege die geblokkeerde of stroeve relatie tussen gezin en hulpverlening).

Het is goed om te beseffen dat gezinscoaching altijd een zekere mate en soms een grote mate van improvisatie vereist. Al doende krijgt de rol van gezinscoach vorm.

Starten

Als de gezinscoach het gezin nog niet kent
Door dossiers te lezen, gesprekken met het gezin aan te gaan, hulpverleners uit het gezin te spreken, stelt de gezinscoach zich op de hoogte van het gezin en de situatie waarin het verkeert. Zijn opdracht geeft de gezinscoach richting.
Een van de gezinscoaches heeft niets willen lezen of bepraten van tevoren: *"Ik wilde me behoeden voor vooroordelen, omdat ik de dingen anders niet meer echt kan horen. Ik wil het allemaal eerst van het gezin zelf horen, uit de eerste hand."*
Later komt deze gezinscoach hiervan terug. Hij zegt dat het beter is om je van te voren op de hoogte te stellen van de situatie, zodat je gericht een eerste gesprek kunt voeren (soort intake doen). Verder benadrukt hij het belang van de aanwezigheid van gezinscoach én gezin bij de bespreking waarin tot inzet van een gezinscoach wordt besloten (dat was in zijn geval niet gebeurd, waardoor zowel het gezin als de gezinscoach een informatie achterstand hadden en (nog) te weinig gezamenlijke 'commitment').

Een andere gezinscoach heeft als eerste uren zitten praten met de moeder. Zij kende de moeder weliswaar van jaren geleden, maar moest zich opnieuw op de hoogte stellen. Er komt informatie boven uit dit gesprek die zeer bepalend is voor de situatie, maar die tot dat moment onbekend was.

Als de gezinscoach het gezin wel kent
Als de gezinscoach het gezin kent, is het goed om in een gesprek de nieuwe situatie te bespreken: wat vloeit voort uit de nieuwe rol van gezinscoach?

Afspraken over bereikbaarheid
Het is zinnig om meteen in het begin afspraken met het gezin te maken over de bereikbaarheid van de gezinscoach. In Limburg bijvoorbeeld sprak de gezinscoach af dat hij overdag altijd mobiel bereikbaar was. 's Avonds en in het weekend moest het gezin eventueel naar de dienstdoende arts of crisisdienst bellen. In een ander geval heeft de gezinscoach afgesproken dat zij bereikbaar is gedurende haar werktijden (drie dagen per week).
Sommige gezinscoaches spreken met het gezin af dat zij altijd mogen bellen, anderen vragen het gezin de vragen zoveel mogelijk te bewaren tot het eerst komende bezoek.

Werkenderwijs

We beschrijven hier een aantal situaties uit de praktijk. We hebben gekozen voor situaties die verschillende aspecten van gezinscoaching laten zien.

Crisis bezweren
"Toen ik in het gezin kwam 's morgens, stonden ze tegen elkaar te schreeuwen," vertelt een gezinscoach. "Zware crisis. De vader wilde stoppen met de relatie, hij wilde uit elkaar. De kinderen waren nog niet aangekleed en naar school. De opvoedingsondersteuner kwam net aan en ook de gezinsvoogd van de beide kinderen. Hij is pas nieuw, de kinderen staan net een paar weken onder toezicht. We hadden een afspraak om de gang van zaken te evalueren. Maar nu moesten we de crisis bezweren. We zijn er de hele dag mee bezig geweest. De opvoedingsondersteuner heeft de kinderen aangekleed en naar school gebracht. Ik heb eerst een tijd met de moeder gepraat. Ze was over haar toeren. Vertelde dat haar man drugs dealde in huis 's avonds en dat ze dat niet meer wilde. Dat dat de druppel was. Dat het

nu genoeg was. Voor mij was dat nieuwe informatie. Het was wel een schok, want dat van dat dealen hadden ze me nooit verteld. Ze zei dat hij het deed om van een schuld van een paar duizend euro aan een dealer af te komen. Ik wist dat ze financiële problemen hadden, maar daar hadden ze het eerder nooit over willen hebben.
Op een gegeven moment hadden we drie opties bedacht als uitweg uit deze crisis: vader een tijdje het huis uit, moeder met de kinderen naar een andere plek of alleen de kinderen naar een andere plek, een pleeggezin.
De angst dat de kinderen uit huis geplaatst zouden worden, bracht de ouders weer tot zinnen. Het ouderschap – en de angst dat ze hun kinderen verliezen – is een goed punt om hen weer terug te brengen bij hun verantwoordelijkheid."

Het probleem verantwoordelijkheid
In meerdere gezinnen, maar speciaal in één gezin bleef onveranderd steeds het probleem verantwoordelijkheid spelen. Het gezin neemt weinig tot geen verantwoordelijkheid voor de eigen situatie en de gezinscoach moet hier op de een of andere manier een vorm aan geven. Het invullen van woonbonnen voor een huurhuis (vanwege de verkoop van hun huis) bleef liggen bijvoorbeeld – ondanks begeleiding hierin van de gezinscoach – en tot vlak voor de verhuizing was nog geen verhuiswagen geregeld. Daar kwam de gezinscoach – die voor de zekerheid toch maar even belde – op het laatste moment achter. De gezinscoach in dit gezin worstelt ondertussen met dit probleem van verantwoordelijkheid. Hij wil de verantwoordelijkheid niet overnemen, maar moet voortdurend constateren dat het gezin het zelf ook niet oppakt. *"Ik wil geen politieagent spelen. Als iemand voortdurend niet de dingen doet die hij moet doen en waarvan hij zegt dat hij ze wel doet, dan houdt het op zeker moment op voor mij. Want dan heb ik al een paar keer met de vader die woonbonnen ingevuld en heeft hij ze niet op de post gedaan. Of dan zegt hij dan hij ze heeft ingevuld, maar dan is dat helemaal niet gebeurd. Op dat moment moet ik accepteren dat hij het niet gaat leren, dat hij die verantwoordelijkheid niet neemt. Ik moet de lat dan lager leggen, ook om mezelf voor frustratie te beschermen."*

Omgaan met een loyaliteitsconflict
Een gezinscoach kan op zeker moment in een situatie komen waarin hij 'partijdig' moet worden: partij zal moeten kiezen in een conflict tussen gezin en hulpverlening. Deze partijdige positie is niet eenvoudig, zeker niet als de gezinscoach ook hulpverlener is. Dat ondervond de gezinscoach van een gezin van allochtone komaf. Moeder is moslima, vader

is overleden, er zijn vijf kinderen. Het oudste meisje komt, wanneer zij naar de middelbare school gaat, in aanraking met de Nederlandse cultuur van loverboys en druggebruik, raakt op het slechte pad en wordt eerst onder toezicht gesteld en later geplaatst in een open behandelgroep van een strafinrichting. Het gaat daar goed, het meisje houdt zich aan afspraken, gedraagt zich heel verantwoordelijk. Ze gaat de weekenden meestal naar huis. Dan wordt ze verliefd op iemand uit 'de groep' in de inrichting. De jongen is begin twintig en heeft een nogal zwaar crimineel verleden. De moeder maakt zich zorgen om deze verliefdheid. Het meisje, 15 jaar, is fiks jonger, is nog maagd (en moet dat blijven. In het land waar ze vandaan komt worden meisjes die voor het huwelijk ontmaagd zijn gestenigd). Met de groepsleiding en haar dochter maakt ze de afspraak dat zij de jongen alleen op de groep ontmoet. De groepsleiding houdt zich – blijkt later – niet aan deze afspraak en de dochter gaat zelfs een heel weekend met de jongen op stap zonder dat moeder het weet. Later blijkt dat ze toen ontmaagd is. Het contact met de instelling waar het meisje is, verloopt ook op andere fronten slecht.
De gezinscoach – die dit gezin op andere fronten wel heeft kunnen bijstaan – heeft geprobeerd te bemiddelen en het contact tussen instelling en moeder te herstellen. Ook heeft ze ervoor gepleit dat de instelling haar serieus neemt in haar rol als moeder. Zonder resultaat. Men heeft weliswaar verontschuldigingen aangeboden, maar de moeder vertrouwt hen niet meer. Op een dag besluit ze dat het zo niet langer kan. Na bureau jeugdzorg en de instelling hiervan telefonisch op de hoogte te hebben gebracht, rijdt ze met een vriendin naar de instelling en vraagt haar dochter mee te gaan. Die stapt in de auto en zo 'ontvoert' de moeder haar dochter. De gezinscoach heeft in dit geval geen partij kunnen kiezen voor de moeder. De moeder heeft deze actie buiten haar om ondernomen. De gezinscoach is als hulpverlener werkzaam bij bureau jeugdzorg dat hier in het geding is en ze komt daarmee klem tussen haar werkgever – die een bepaalde gedragscode van haar vraagt – en het gezin. Ze is het met de moeder eens en begrijpt heel goed waarom zij deze actie heeft ondernomen. Ze houdt zich in dit geval afzijdig, maar regelt wel een gesprek tussen de moeder en bureau jeugdzorg. Ze is zich ervan bewust dat ze beter aan de kant van de moeder had kunnen staan, wanneer ze géén hulpverlener was geweest.

Niet veel veranderd

Een broer en schoonzus die samen gezinscoach werden, beschouwen hun rol niet als wezenlijk anders. Net als voorheen zijn ze regelmatig op bezoek bij de moeder en gesprekken worden tussen de bedrijven door gevoerd.
Die gesprekken gaan over hoe het gaat en de opvoeding van haar

beide puberzonen – van wie het gedrag problemen geeft, op school en in de buurt, al zijn ze nog niet echt met de politie in aanraking geweest.
De gezinscoach heeft met de moeder (zijn zus) een aantal regels opgesteld waaraan de jongens zich moeten houden – en ziet erop toe dat ze dat ook doen. Verder voert hij, vaker dan voorheen, gesprekken met leraren van school en dergelijke.

Contact tussen gezin en hulpverlening herstellen
"Wanneer de hulpverlening niet goed loopt volgens het gezin, heeft dat vaak te maken met onbegrip. Afstemming van de hulpverlening is in veel gevallen een kwestie van het herstellen van het contact tussen gezin en hulpverlening. Tussen het gezin en de schuldhulpverlening bijvoorbeeld. Ook al wil het gezin niet, omdat het ruzie heeft met de schuldhulpverlener, dan toch probeer ik hen te overtuigen van de noodzaak en zo het contact weer op gang te brengen. Een kwestie van veel praten en uitleggen.
Hulpverleners moeten van elkaar weten wat ze doen en ook voor het gezin moet dat duidelijk zijn. Het ronde tafel gesprek is daarin erg nuttig. Zo bleek tijdens onze laatste bijeenkomst dat de politie berichten had dat het niet goed zou gaan op school met de kinderen. Maar de school meldde juist dat het wel goed ging. Nadat de politie dit intern nog even goed had afgecheckt, bleek dat het aanvankelijke bericht niet klopte. Dit soort zaken kom je wel vaker tegen. Het is begrijpelijk, als je negatieve berichten krijgt over een gezin dat toch al bekend staat als problematisch, dan heb je niet veel reden om ze in twijfel te trekken en dus geloof je ze."

De positieve dingen benoemen
Eén van de gezinscoaches benadrukt hoe belangrijk het is ook de positieve dingen te blijven benoemen.
"Dingen die goed zijn, moeten ook benoemd worden. De voogd in het gezin heeft onlangs een verslag gemaakt en daarin staan alleen de negatieve dingen. Dus dat verslag versterkt alleen maar het negatieve beeld en het gezin heeft toch al een slecht imago.
Het is waar wat de gezinsvoogd in zijn evaluatieverslag schrijft, en ik zit ook wat zijn adviezen betreft op dezelfde lijn. Maar het beeld is te eenzijdig. Er zijn ook veel dingen die wel goed gaan in het gezin, kleine ontwikkelingen weliswaar, in hoe ze met de kinderen omgaan bijvoorbeeld. Als je de positieve dingen niet waardeert, dan haakt ook het gezin af. Zij moeten iets hebben om gemotiveerd te blijven."

Dynamisch systeem

Zoals deze beschrijvingen laten zien, komt de gezinscoach terecht in een zeer dynamisch systeem met aan de ene kant het gezin (waarmee de relatie in beweging is en waarin ook voortdurend nieuwe informatie en nieuwe/andere behoeften kunnen opduiken) en aan de andere kant de hulpverlening (ook aan verandering onderhevig: nieuwe hulpverlening erbij, oude eraf en dergelijke).
Het werkproces van de gezinscoach is dan ook niet vast te leggen, oftewel: gezinscoaching is maatwerk.

Als verbindende schakel tussen gezin en hulpverlening is de gezinscoach erop gericht de dynamiek aan beide kanten in de gaten te houden en die te 'vertalen', dat wil zeggen: veranderingen in het gezin over te brengen aan de hulpverlening als dat zinnig is en de veranderingen in de hulpverlening met het gezin te bespreken of aan het gezin te duiden.
In zijn relatie met het gezin vervult de gezinscoach verschillende rollen, variërend van vertrouwenspersoon tot crisismanager, van 'ontwikkelaar' of 'stabilisator' tot 'geheugen'. Afhankelijk van de situatie (is het gezin in staat te leren en te veranderen of niet? Hoeveel tijd brengt de gezinscoach door in het gezin?) kan hij verschillende coachingsstijlen hanteren[22].
De relatie tussen gezinscoach en hulpverlening krijgt vorm in de afstemgesprekken (als die plaatsvinden) en in de tussendoor gesprekken (per telefoon of email) en ontmoetingen van de gezinscoach met de hulpverleners rond het gezin.
Ook ten aanzien van de hulpverleners heeft de gezinscoach verschillende rollen, van 'afstemmer' tot 'signaleerder', van 'tolk' tot 'aanspreekpunt'.[23]

Om preciezer zicht te krijgen op de relatie tussen gezinscoach en hulpverlening, is – zoals we in de verantwoording al opmerkten – nader onderzoek gewenst. Vragen die daarin aan de orde zijn, zijn onder meer:
Wie neemt beslissingen of hakt knopen door in het geval van tegenstrijdige standpunten tussen gezin en hulpverlening en tussen hulpverleners onderling?
Hoe ligt de machts- of gezagsrelatie tussen gezinscoach en hulpverlening, tussen gezinscoach en coördinator, tussen coördinator en hulpverlening?

22 In hoofdstuk 9 omschrijven we deze rollen en stijlen meer uitgebreid.
23 Idem.

Stoppen met gezinscoaching

Er zijn geen of nauwelijks voorbeelden uit Limburg naar voren gekomen van situaties waarin de gezinscoaching gestopt is, omdat ondersteuning niet langer nodig was.
Pratend met gezinnen en gezinscoaches over de vraag wanneer ze denken dat de gezinscoaching zou kunnen stoppen, noemen zij verschillende stopmomenten, hoewel sommige gezinnen niet of nauwelijks een beeld van de toekomst hebben:
"Ik leef van dag tot dag".
Een stopmoment is wanneer de problemen opgelost zijn of tot een overzichtelijk klein aantal teruggebracht. Vaak gaat het dan om schulden die zijn teruggebracht, het gevonden hebben van een baan of een goede school voor de kinderen.

Rondom de ontwikkeling van de kinderen ligt sowieso een aantal potentiële stopmomenten (en ook momenten waarop juist weer meer hulpverlening nodig is).
Een gezin zegt dat de gezinscoach in ieder geval moet blijven tot de ondertoezichtstelling van de baan is. Een ander gezin verzucht dat ze de gezinscoach het liefst houden tot de kinderen volwassen zijn.
Als het goed gaat met een kind op de basisschool, kan dat jaren goed blijven gaan. Vaak is het moment dat een kind naar de middelbare school gaat (en gaat puberen) een moment waarop nieuwe problemen kunnen ontstaan. Formeel stopmoment is uiteraard het moment dat het jongste kind 18 jaar geworden is.
"Ik denk niet dat het goed is om in dit gezin te stoppen voordat de kinderen meerderjarig zijn," meent een gezinscoach. "Als de jongste 19 is, zijn we 5 jaar verder. Tot die tijd zullen we op de een of andere manier contact moeten houden. Bijvoorbeeld een keer per maand op bezoek gaan om te kijken hoe het loopt. Als er iets is, moet de drempel voor de hulpverlening laag zijn."

9 [Verschillen in rol en stijl]

In het derde hoofdstuk gaven we al een omschrijving van de gezinscoach. We geven die nog even verkort weer:

- De gezinscoach is de vertrouwenspersoon van het gezin en staat aan de zijde van het gezin.
- Vanuit die positie vormt de gezinscoach de verbindende schakel tussen gezin en hulpverlening. Hij kan de hulpverlening bezien vanuit het perspectief van het gezin en andersom. Bij hem komt de informatie uit het gezin en die vanuit de hulpverlening rondom het gezin samen.
- Zijn doel is om het gezin de grip op de situatie te laten hervinden of – als dit niet mogelijk is – de situatie te stabiliseren. Dit om de ouders (beter) in staat te stellen opvoeder van hun kinderen te zijn.
- Om dit doel te bereiken coacht de gezinscoach zowel het gezin als de hulpverlening en werkt hij aan het verbeteren van de relatie tussen gezin en hulpverlening.

Verschillende rollen

Als verbindende schakel onderhoudt de gezinscoach in feite drie relatievelden: de relatie met het gezin, de relatie met de hulpverlening in het gezin en de relatie met de wereld daarbuiten (instanties als sociale dienst, centrum voor werk en inkomen, opleidingsorganisaties, woningcorporaties, verzekeringsmaatschappijen, banken, etc.). In deze relaties vervult de gezinscoach verschillende rollen, in diverse combinaties.[24]

Relatie met het gezin

- Vertrouwenspersoon.
  Door zijn rol als vertrouwenspersoon kan het gezin de coach toelaten in het gezin, deelgenoot maken van de problemen. Door zijn rol als vertrouwenspersoon is de gezinscoach ook de contactpersoon voor het gezin bij vragen, zorgen, conflicten en paniek. Een luisterend oor, iemand die vertrouwen geeft, iemand die vertrouwen krijgt.

---

24 De hierna volgende opsomming van rollen wekt misschien het beeld op van een gezinscoach die meer dan een dagtaak heeft aan het coachen. Dat is niet de bedoeling. Het gaat hier om rollen die een houding (attitude) beschrijven en aandachtspunten in de relatie tot gezin en hulpverlening benoemen.

- Ordeschepper/crisismanager.
  In deze rol brengt de coach rust, overzicht en waar mogelijk inzicht in het gezin. In crisissituaties wordt de ordeschepper soms noodgedwongen crisismanager. Het gaat hier om diverse zaken, van structuur in het huishouden brengen tot ordentelijk bewaren van papieren en het op orde brengen van de financiën, om het analyseren van de problemen en het opsporen van de oorzaken van de problemen, om actielijstjes maken, maar ook om overleg met de sociale dienst en het helpen vinden van een woning.
- Waarnemer.
  De gezinscoach signaleert eventuele nieuwe problemen en ook wanneer problemen afnemen. Hij zorgt ervoor dat problemen die onder tafel liggen (vaak in de kast trouwens, waar de ongeopende rekeningen en aanmaningen zich bij voorkeur hebben opgestapeld) boven tafel (en uit de kast) komen. Hij houdt in de gaten dat kwesties zich niet van lastig tot kwaad tot erger ontwikkelen.
- Ontwikkelaar (wanneer mogelijk).
  De gezinscoach leert het gezin het heft weer in eigen handen te nemen, zodat het op eigen kracht verder kan en ook zelf de hulpverlening die in het gezin blijft, aan kan sturen. Dit leerproces vraagt van de coach dat hij vertrouwen geeft, ontwikkeling stimuleert, motiveert en het gezin de eigen kracht en zwakte leert onderkennen. Het vraagt ook dat de coach de positie van het gezin ten opzichte van de hulpverlening versterkt – onder meer door te zorgen dat de ouders hun rol als opvoeders daadwerkelijk kunnen vervullen (zorgen dat zij in hun rol als ouder door de hulpverlening worden erkend, gerespecteerd en versterkt).
- Stabilisator (als ontwikkeling niet mogelijk is).
  In deze rol zorgt de gezinscoach ervoor dat de situatie in het gezin stabiel is (staat meteen klaar als crisismanager) en houdt het gezin 'erbij'. Belangrijk doel van de gezinscoach in zijn rol als stabilisator is het creëren van een situatie waarin het gezin aan de bel trekt wanneer er problemen (dreigen te) ontstaan.
- Geheugen.
  Bij de gezinscoach komt veel informatie samen, vanuit het gezin en vanuit de hulpverlening. Vaak wordt de gezinscoach ook een soort van geheugen van en voor het gezin dat – zeker wanneer er veelvuldig crises aan de hand zijn – soms vergeet wanneer, hoe en waardoor gebeurtenissen plaatsvonden. *"Als gezinscoach kun je dingen opnieuw inbrengen: weet je nog hoe je dat toen oploste, weet je nog hoe dat toen ging."*
  Ook heel praktisch vervult de gezinscoach soms de rol van geheugen, namelijk door het gezin te herinneren aan afspraken.

- Tolk.
  De coach als tolk vertaalt de rol en het handelen van de hulpverlening voor het gezin. Hij legt uit wat hulpverleners doen, waarom ze het doen en vooral ook waarom ze het zo doen zoals ze het doen.
- Buurtbemiddelaar.
  Regelmatig komt het voor dat de gezinscoach bemiddelt bij klachten van overlast in de buurt. Hij kan tussen buren bemiddelen en ook overleg hebben met bijvoorbeeld de politie of de woningcorporatie.
- Gids.
  Als gids maakt de gezinscoach het gezin wegwijs in de samenleving (de wereld van instanties, procedures, formulieren). Dit gaat ook over zaken als het belang van afspraken nakomen, de manier waarop je een telefoongesprek met personen van lastige instanties voert en dergelijke.[25]
- Aanspreekpunt.
  De coach in de rol van aanspreekpunt is degene via wie de contacten van het gezin met de hulpverlening en vice versa lopen.

Relatie ten opzichte van de betrokken hulpverlening
De rol van de gezinscoach kan hier sterk in zwaarte verschillen (is situatie afhankelijk).
- Tolk.
  De gezinscoach vertaalt en verduidelijkt de problematiek en het doen (en laten) van het gezin aan de hulpverleners, maakt ook duidelijk waar de behoeften van het gezin liggen (als zij dat zelf niet of moeilijk kunnen).
- Signaleerder.
  De gezinscoach signaleert of de hulpverlening op de vraag en behoeften van het gezin is afgestemd, of de hulpverlening onderling ook is afgestemd
- Aanspreekpunt.
  De coach in de rol van aanspreekpunt is degene via wie de contacten van het gezin met de hulpverlening en vice versa lopen.
- Afstemmer.
  Waar dat nodig is, neemt de gezinscoach het voortouw waar het gaat om het afstemmen van de hulpverlening aan het gezin. Eventueel belegt hij afstemgesprekken en zit die voor.

---

25 De problematiek met betrekking tot buitenlandse gezinnen vraagt wellicht sneller om een gidsende en bemiddelende rol van een gezinscoach.

Relatie ten opzichte van andere instanties/de bureaucratie

- Bemiddelaar.
  Bij conflicten tussen instanties en gezin – of gebrek aan begrip of contact – kan de gezinscoach een bemiddelende rol vervullen. Dit gaat onder andere over conflicten met de schuldhulpverlening, maar ook met verzekeringsmaatschappijen, werkgevers en woningcorporaties – waarbij de gezinscoach klachten soms ook in het juiste daglicht helpt te plaatsen (klachten over een gezin worden vaak snel geloofd als het gezin toch al een negatief imago heeft).

Stijlen in gezinscoaching

Er zijn meerdere stijlen van gezinscoaching mogelijk, we hebben die ook in de Limburgse praktijk naar voren zien komen.
Om te beginnen onderscheiden we – in aansluiting op de twee typen gezinnen die we in hoofdstuk 5 hebben benoemd ('leerbaar' en 'stabiliseerbaar') – het 'echte' coachen en 'stutten en steunen'.
Het 'echte' coachen is gericht op het ontwikkelen van het vermogen van het gezin om weer zelf het heft in handen te nemen en de gelijkwaardigheid tussen gezin en hulpverlening te herstellen (gezin krijgt het overzicht terug, is in staat weer zelf de hulpverlening aan te sturen). Het coachingtraject is in dit geval begrensd in tijd: wanneer het doel bereikt is kan de gezinscoach stoppen.
Stutten en steunen: deze stijl is erop gericht om de gezinssituatie stabiel te houden en er vooral voor te zorgen dat het gezin een vertrouwenspersoon heeft die het altijd kan bellen wanneer er opnieuw zaken uit de hand dreigen te lopen. Het coachen van een gezin in deze stijl vereist dus een lange duur[26].

Wanneer een gezin 'leerbaar' is (zelfs al is dat minimaal), zien we een verschil in de manier waarop het gecoacht kan worden: in de 'doestijl' of in de 'praat-stijl'. De doe-stijl is geïnspireerd op de gespecialiseerde verzorgenden die als gezinscoach werken, maar bijvoorbeeld ook op de vrijwilliger van Homestart – organisatie voor opvoedingsondersteuning en preventie). De praat-stijl is geïnspireerd op de maatschappelijk werker van het Algemeen Maatschappelijk Werk of de hulpverlener bij het bureau jeugdzorg.
De beide stijlen zijn sterk gerelateerd aan de tijd die de gezinscoach in het gezin kan doorbrengen.

---

26 Zie ook: 'Stoppen met gezinscoaching' in hoofdstuk 8 van deze methodische beschrijving.

De doe-stijl: leren door voorbeeldgedrag
Een gezin coachen in de doe-stijl betekent veel tijd in het gezin doorbrengen (en dus ook de mogelijkheid daartoe hebben[27]) – van zo'n zes tot zo'n zestien uur per week. Daardoor ziet en hoort de gezinscoach veel van de dagelijkse gang van zaken in het gezin en neemt hij ook de relatie/interactie tussen gezin en andere hulpverlening waar.
De coach volgens de doe-stijl coacht (leert) het gezin in de eerste plaats door voorbeeldgedrag, dat wil zeggen: door samen dingen te doen en daarin het voorbeeld te geven. Dat gaat om allerlei zaken, zoals de omgang met de kinderen, de omgang met geld, met formulieren, het opruimen en ordenen van spullen, het maken van afspraken en het omgaan met instanties aan de telefoon.
Door het feit dat hij veel in het gezin aanwezig is, kan deze coach zelf de relaties waarnemen tussen de problemen op de verschillende gebieden (kinderen, hygiëne, geld, ziekte) – bijvoorbeeld kan hij zien hoe de borderline stoornis van de moeder de crises in het gezin veroorzaakt, of hoe het feit dat er nauwelijks geld voor openbaar vervoer en maar één fiets is, het contact met instanties moeizaam maakt (niet komen opdagen op afspraken bijvoorbeeld).

De praat-stijl: leren door advies
De gezinscoach die volgens de praat-stijl coacht, komt in de regel één keer per week of één keer per twee weken in het gezin. Het contact verloopt via het gesprek. Coachen volgens de praat-stijl is het gezin laten leren of ondersteunen door goed te luisteren, vragen te stellen, dóór te vragen, te analyseren, te spiegelen, een andere zienswijze te berde te brengen, handelingsmogelijkheden te benoemen, raad te geven en dergelijke. Op deze manier krijgen coach en gezin inzicht in en grip op de problematiek.
De praat-stijl-gezinscoach is tegelijkertijd een vraagbaken op de achtergrond, een persoon tot wie het gezin zich kan wenden voor advies bij problemen. Soms helpt hij het gezin door een telefoontje namens hen te plegen of te bemiddelen in geval van misverstanden en conflicten.

Een gezinscoach (die werkzaam is als gespecialiseerd verzorgende in het gezin) geeft het onderscheid tussen de doe- en de praat-stijl helder weer:
"Door het grote aantal uren in het gezin, kun je op alles letten en sta je dichter bij de problematiek. Die is ook minder zwaar en beladen, omdat

---

27 Dit is dus alleen mogelijk als de gezinscoach zijn taak combineert met bijvoorbeeld zijn rol als gespecialiseerd verzorgende.

hij 'meekomt' met alle praktische dagelijkse zaken die je samen met het gezin doet en meemaakt. De problematiek komt als het ware met de kleine dingen mee.
Als je als maatschappelijk werker naast of tegenover iemand op de bank gaat zitten om te praten, krijgen de problemen een ander, groter gewicht. Het voordeel van de maatschappelijk werker op de bank is misschien wel weer dat zaken directer en explicieter worden benoemd.
Wat beter is, kun je in zijn algemeenheid niet zeggen. Dat zal per gezin en per situatie verschillen. Omdat ik veel tijd in het gezin aanwezig ben, kan ik met behulp van voorbeeldgedrag mensen op weg helpen om op een andere manier hun leven vorm te geven dan ze voorheen deden."

Conclusie
Naast de keuze tussen een professional of iemand uit het sociale netwerk van het gezin en de keuze tussen een bekend persoon of juist iemand die 'fris' tegen de zaken aankijkt (zoals we in het vierde hoofdstuk beschreven), zijn er dus tenminste twee andere overwegingen die een rol spelen bij het kiezen van een gezinscoach:
- Heeft het gezin een coach nodig om – binnen afzienbare tijd – het heft zelf weer in handen te nemen of is er vooral behoefte aan een vertrouwenspersoon die langdurig 'stut en steunt'?
- Vindt het gezin een coach met een doe-stijl of juist een coach met een praat-stijl geschikt?

Bij dit alles blijft uiteraard steeds voorop staan dat het gezin vertrouwen heeft in de gezinscoach.

10 [Wat moet een gezinscoach kunnen?]

Dilemma's en spanningsvelden

Zoals ook uit de fragmenten in 'werkenderwijs' (hoofdstuk 8) al naar voren kwam, kan de gezinscoach in zijn werk in een aantal dilemma's en spanningsvelden terechtkomen.
Een groot deel van deze dilemma's houdt verband met de bijzondere relatie tussen gezinscoach en gezin. Het zijn vooral vier kenmerken die de rol van de gezinscoach specifiek maken (oftewel onderscheiden van de 'normale 'hulpverlener):

- De vertrouwensrelatie met het gezin.
- Het feit dat de gezinscoach náást het gezin staat en vanuit het perspectief van het gezin (mee)kijkt.
- Het feit dat één persoon gedurende langere tijd (soms jaren) de rol van gezinscoach vervult.
- De specifieke rol ten aanzien van de hulpverlening (het in het oog houden van de afstemming).

De vertrouwensrelatie en het – voor langere tijd – aan de zijde staan van het gezin, vragen iets nieuws van de gezinscoach. Dilemma's die daarmee verband houden, gaan over het vinden van een goede balans tussen luisteren en 'meegaan' met het gezin, kijken vanuit hun perspectief en tegelijkertijd toch een eigen positie houden als gezinscoach. Want de gezinnen zitten niet te wachten op een 'meeloper', een 'u vraagt, wij draaien' type. Zo iemand behoudt uiteindelijk niet het respect en vertrouwen dat nodig is en loopt het risico 'gebruikt' te worden door het gezin, als loopjongen om zelf niet die lastige kwesties met het schuldhulpverleningsbureau op te hoeven lossen bijvoorbeeld. In die vertrouwensrelatie is het dus logisch dat er loyaliteitsconflicten kunnen ontstaan, maar ook is er het gevaar dat de gezinscoach het gezin te afhankelijk maakt en de binding te sterk. Voor zichzelf betekent dat de valkuil van teveel in het gezin 'gezogen' te worden en te weinig afstand houden om juist te kunnen handelen. *"Ik denk dat als je de vertrouwensband te groot maakt, slechter in staat bent om objectief te blijven. Als je te 'eigen' wordt met het gezin, word je minder professioneel,"* merkt een gezinscoach op.
Een andere zegt over het spanningsveld tussen binden en afhankelijkheid:
"Hoe sterk moet je je binding met afhankelijke gezinnen maken? Gezinnen die niet de mogelijkheid hebben om hun zaken te regelen,

iets op te pakken en het af te maken. Hoe sterk kun je die maken? Hoe afhankelijk maak je hen van jou?"

Eén van de andere spanningsvelden gaat over verantwoordelijkheid. Die wil de gezinscoach niet overnemen en toch kan hij geconfronteerd worden met een gezin dat geen verantwoordelijkheid neemt. Om geen 'politieagent' te worden of gefrustreerd te raken, zal hij wat dit betreft zijn verwachting moeten aanpassen aan de reële mogelijkheden van het gezin en 'de lat lager leggen'.
Verder noemden we al: terechtkomen in een loyaliteitsconflict ten opzichte van de hulpverlening (zoals in het voorbeeld uit 'werkenderwijs' in hoofdstuk 8) én ten opzichte van het gezin.
Eén van de coaches zegt over dat laatste:
"Voor mij is het moeilijk die positie tussen gezin en hulpverlening te houden. Het gezin verwacht dat ik helemaal achter hen sta. Ik sta wel achter jullie, zeg ik dan, maar dat wil niet zeggen dat ik het altijd met jullie eens ben."

Er bestaat een spanning tussen vertrouwen geven en 'streng' zijn:
"Ik merk dat het bij de moeder van mijn gezin heel nauw luistert. Als ik haar te dicht op de huid zit, te streng ben, dan haakt ze af. Het is beter wanneer ik haar vertrouwen geef, maar dan moet ik toch ook weer goed in de gaten houden of ze doet wat we hebben afgesproken."

Een ander spanningsveld is het omgaan met de waarden en normen van een gezin die niet de normen van de gezinscoach zelf zijn:
"Ik vind het niet altijd gemakkelijk dat het gezin totaal andere waarden en normen heeft dan ikzelf. Dat de moeder een vriend heeft naast haar man, en dat ze zich totaal niets aantrekken van hun schulden. Dat ze kinderen op de wereld zetten, maar geen verantwoordelijkheid nemen voor wat daar van terecht komt."

Het is duidelijk dat de gezinscoach soms grenzen moet stellen in de relatie met het gezin, bijvoorbeeld in de bereikbaarheid of de bereidwilligheid om 'klaar te staan' voor het gezin:
"Grenzen in tijd van crisis is lastig" en *"Gezinscoach zijn maakt dat grenzen stellen moeilijker is dan wanneer je 'gewoon' hulpverlener bent. Zo'n gezin vraagt dan aan je: 'Sta je nog wel achter ons?' en is bang je te verliezen."*
Ook is het voor de gezinscoach soms moeilijk niet meteen de oplossingen aan te dragen die hij voor zich ziet, maar dat uit te stellen en nog eens goed te kijken wat het gezin belangrijk vindt – *"ook al hebben ze niet altijd gelijk"*.

Een van de gezinscoaches zegt hierover:
"De gezinnen die voor gezinscoaching in aanmerking komen, hebben vaak al heel veel hulpverleners gehad die met oplossingen kwamen waar ze het niet mee eens waren en die niet werkten. Hoewel gezinscoaching maatwerk is en elk gezin weer anders, één ding hebben al deze gezinnen gemeen: een geschiedenis waar het met de hulpverlening mis is gegaan.[28]"

Vaardigheden

We bieden hier geen scenario om de valkuilen en dilemma's te omzeilen, dat is niet mogelijk. De gezinscoaches zullen ze hoe dan ook tegenkomen. De wetenschap dat deze zaken inherent zijn aan het werk van de gezinscoach, zal hen misschien helpen er beter mee uit de voeten te raken.
Wel noemen we hier een aantal vaardigheden die de gezinscoach moet hebben. Een groot aantal daarvan is van toepassing voor iedere hulpverlener. We zeiden het al eerder: misschien is de gezinscoach wel de ideale hulpverlener.

De vaardigheden hebben we gegroepeerd rond de volgende thema's:
- naast het gezin staan;
- scherp waarnemen van het gezin in de situatie;
- goed communiceren;
- inschatten van het 'lerend vermogen' van het gezin en kunnen motiveren;
- verhelderen en verbeteren van de hulpverlening in het gezin.

Naast het gezin staan
Naast het gezin staan houdt in dat de gezinscoach met het gezin een relatie opbouwt, waarin sprake is van vertrouwen en wederzijds respect. Pas dan kan het gezin de gezinscoach toelaten als waarnemer en vertrouwenspersoon. Zeker wanneer de gezinscoach een nog onbekende persoon is voor het gezin, moet de gezinscoach (en het gezin) investeren in de opbouw van de relatie.

---

28 Dát alle gezinnen met een gezinscoach en dergelijke geschiedenis met de hulpverlening hebben, heeft natuurlijk ook te maken met het feit dat alleen gezinnen die al hulpverlening hebben (die niet goed 'loopt') in aanmerking komen voor gezinscoaching. Vgl. 'criteria voor melding', hoofdstuk 4.

Het opbouwen van vertrouwen betekent onder andere:

- Respect hebben.
  Dit komt met name tot uiting in de manier waarop de gezinscoach met het gezin communiceert (zie hier onder).
- Vertrouwen geven.
  "Het gezin had het gevoel dat het alles fout deed. De hulpverleners in het gezin hadden dat gevoel ook altijd versterkt. Ze leggen de nadruk op wat er niet goed gaat, op wat mis loopt, op de gebreken en de fouten. Als gezinscoach vind ik het belangrijk de positieve punten te waarderen en te blijven kijken naar de ontwikkelingsmogelijkheden – ook al zijn die nog zo klein."
  Perspectief van het gezin hanteren.
  "Je moet vanuit het gezin kunnen kijken, maar dat betekent niet per definitie dat je ook altijd partij kiest voor het gezin. Soms zegt een gezin iets dat niet waar is. Het is dan wel goed om te begrijpen waarom een gezin doet zoals het doet."
- Grenzen aangeven en verwachtingen realistisch houden.
  Belangrijk in een vertrouwensrelatie is ook dat er geen misverstanden ontstaan over de inzet van de gezinscoach: wat doe je wel en wat doe je niet, wanneer ben je wel en wanneer ben je niet bereikbaar (en wie is in dat geval wel bereikbaar).

Scherp waarnemen van gezin in de situatie

Een gezinscoach moet scherp kunnen waarnemen, dus goed kunnen kijken en luisteren. Hij moet niet alleen de leden van het gezin leren kennen, maar vooral ook het verband zien tussen wie ze zijn en de situatie waarin ze verkeren.

Scherp waarnemen betekent:

- Stilstaan bij het gezin en de problematiek die daar speelt.
  Door stil te staan bij het gezin en de problematiek die er speelt, kan een dieper inzicht in de gezinssituatie ontstaan. Stilstaan komt eigenlijk gewoon neer op: de tijd nemen.
  "Het is belangrijk goed te kijken, goed te luisteren, om zo de onderstroom in zicht te krijgen, te snappen waaróm. Het is een soort afdalen in de situatie. Je ziet de hulpverlening hard rennen en er is niemand die de tijd en de rust heeft om zich in deze moeder te verdiepen."
- Waarnemen zonder vooropgezette mening of oordeel.
  Een gezinscoach is in staat de hulpverlening in het gezin neutraal waar te nemen, met een speciaal oog voor de aard en kwaliteit van de betrekkingen tussen gezin en de diverse hulpverleners. Een mening of oordeel zit de waarneming in de weg: je ziet wat je denkt.
- (Voor even) afzien van je eigen normen en waarden als gezinscoach.

"Een alcoholistische vrouw is niet per definitie een slechte moeder."

- Doorgronden van de impact of betekenis van bepaalde problemen voor het gezin (empatisch vermogen, maar ook: vragen naar de impact van de problemen).

Goed communiceren

Dat houdt onder meer in:

- Weten wat je zegt.
  Een moeder is gescheiden en hertrouwd. Haar oudste dochter (van de man van wie ze is gescheiden) woont door de week in een pleeggezin en komt in het weekend thuis. Ze vertelt het volgende: "We hebben nauwelijks geld, mijn dochter en mijn nieuwe man kunnen totaal niet met elkaar en ik vind het ook niet makkelijk met haar. Zegt de gezinsvoogd van mijn dochter tegen mij: 'Je moet – als je dochter thuis komt – klaar zitten met een lekkere kop thee! En wat leuks gaan doen samen!' Dan zeg ik oké en ja, maar ik denk: hoe kan je dat nou zeggen? Dat kind vliegt meteen naar boven naar haar kamer als ze hier komt, omdat ze mijn man niet wil zien. En omdat haar zus ook boven zit. Zit ik hier beneden met een kop thee... En wat nou, leuke dingen doen. Ze is 16! Het enige leuke ding voor zo'n meid is shoppen! Maar daar heb ik geen geld voor."
- Duidelijk zijn over je eigen positie.
  Duidelijk zijn ook in hoe je met 'geheimen' en strafbare feiten om gaat. Bijvoorbeeld als je merkt dat er geheeld wordt of drugs gedeald worden in het gezin. Juist binnen de vertrouwensrelatie met het gezin, is dit een belangrijk punt om in de gaten te houden.
- Onderscheid maken tussen adviseren en voorschrijven.
  "Ik begin altijd met te zeggen dat ik een aantal zaken in overleg doe en een aantal zaken voorschrijf – waarover ik geen discussie aanga, die moeten gewoon gebeuren zoals ik het zeg. Dan gaat het bijvoorbeeld om de verwarming uitdoen als je weg gaat, omdat dat aan het eind van het jaar 800 euro scheelt."
- Nooit achter de rug van het gezin om gaan.
  Als er één ding is waar gezinnen (en mensen in het algemeen) slecht tegen kunnen is wanneer hulpverleners achter hun rug om zaken doen. Een bewindvoerder die achter de rug van het gezin om gaat bellen met een school of dit of dat computerprogramma nu echt wel nodig is. Een gezinsvoogd die achter de rug van de moeder om toch probeert een ontmoeting te hebben met een kind in de puberleeftijd.

Inschatten van het 'lerend vermogen' van het gezin

Een gezinscoach is in staat om het lerend vermogen van het gezin in te schatten en de eigen verwachtingen en doelstellingen daarop aan te passen. Dat betekent:

- In staat zijn 'de lat' op de juiste hoogte te leggen (weten in welke gezinnen dit een lage lat moet zijn).
- In staat zijn ontwikkelingsmogelijkheden van het gezin te onderkennen.
  Dit is het wezen van gezinscoaching, juist omdat het erop gericht is om het gezin de regie over de eigen situatie weer in handen te laten nemen.
  Een van de gezinscoaches richtte zich bijvoorbeeld op het herstel van het gezag van de moeder van een bepaald gezin:
  "Het is erg belangrijk dat zij door de hulpverlening niet van haar positie als moeder wordt beroofd, maar dat is wel gebeurd. Daarom moeten haar plaats en haar gezag opnieuw worden erkend en versterkt. Als gezinscoach sta ik dan ook náást de moeder en waak ik ervoor dat alle afspraken tussen hulpverleners via haar gaan. Zij mag niet overgeslagen worden. Zo'n vrouw moet weer voelen dat ze er toe doet, ook als moeder. Dat klinkt simpel, maar het is iets wat je heel snel verliest."
- In staat zijn het gezin in zijn ontwikkeling te stimuleren.
  Wanneer een gezin kan en wil leren (en daarmee ontwikkelen), is het aan de gezinscoach om het gezin ook te motiveren en stimuleren in die ontwikkeling – zelfs al die ontwikkelingsmogelijkheid beperkt. Dat doet hij onder meer door oog te hebben voor en positieve feed back te geven op zaken die het gezin wél goed doet.

Verhelderen en verbeteren van de hulpverlening in het gezin

- Het gezin de hulpverlening kunnen uitleggen.
  Een coach moet kunnen uitleggen wat de rol en de taak is van de diverse hulpverleners (zoals de voogd, de opvoedingsondersteuner, de mentor van een school), wat hun bevoegdheden zijn, waarom ze er zijn, waarom ze zo praten en handelen als ze doen. En, als dat nodig is, de hulpverlening uitleggen wat het gezin beweegt. 'Meerzijdig partijdig zijn' noemt één van de gezinscoaches het; in staat zijn zowel het gezin als de betrokken partijen/hulpverleners te snappen.
- Contact kunnen leggen, kunnen overleggen met hulpverleners in het gezin (via telefoongesprekken, mailcontact, persoonlijke afspraken).
- Bemiddelen tussen gezin en hulpverlening bij conflicten en misverstanden.
  Dat betekent ook dat je als gezinscoach soms moet onderkennen dat instanties in hun recht staan en terecht zaken eisen van het gezin (volgens een huurovereenkomst bijvoorbeeld).
- Voorzitten van afstemgesprekken met hulpverleners en gezin.
- Kennis hebben van de hulpverlening.

Het is belangrijk dat een coach weet welk type hulpverlening is er voor welke zaken (of weten waar hij deze informatie kan halen): weten wat het aanbod is, onder welke voorwaarden dat beschikbaar is, waar en hoe aan te vragen, kennis ook van hoe diverse hulpverleningsorganisaties werken.
"Er is zoveel en er verandert zoveel."

11 [Gecoacht worden]

Ervaringen van gezinnen

De cirkel doorbreken

"Ik wil het heft in eigen hand nemen en zelf mijn zaken regelen. Ik wil de hulpverlening zo klein mogelijk houden. Maar soms denk ik dat ik zelf ook hulp moet zoeken. Ik ben altijd moe. Ik heb het gevoel in een cirkel rond te lopen, achter de feiten aan te lopen. Ik wil die cirkel doorbreken, maar hoe?

De meerwaarde van de gezinscoach is dat hij ons kent. Tot op zekere hoogte dan. En wij kennen hem. Hij is er voor het gezin, dus praat je over de dingen die het gezin aangaan. En er speelt zoveel, daar moet ik met iemand over praten. Of ik geen vriendinnen of familie heb daarvoor? Nee. En ik wil de vuile was ook niet buiten hangen.

De gezinscoach is een goede ruggesteun. Ik ben blij dat ik op hem kan terugvallen als ik het niet meer weet. Dat gaat vooral om de schuldhulpverlening. Er zijn ook wel dingen met de kinderen, maar daar kom ik amper aan toe. De financiële problemen verdringen al het andere."

(moeder van een gezin)

Eindelijk ontwikkeling

"De gezinscoaches zijn hele goede mensen. Sinds ze gezinscoach zijn, komen ze overal beter tussen. Ze kunnen mee naar de gesprekken op het internaat van mijn jongste zoon, bij de kinderbescherming komen ze ook binnen. De naam gezinscoaching doet wonderen.

Of het voor mij ook anders is nu ze gezinscoach zijn? Ze zijn gewoon zoals ze zijn. Eerlijk, direct en spontaan. En ze zien precies aan mij hoe ik me voel. Het is alsof ze een vriend en vriendin zijn. Dat klinkt misschien gek, maar het is wel waar.

Toen ik laatst opgenomen was vanwege een psychose, heb ik veel steun van hen gehad. Ze hebben me een hart onder de riem gestoken. Zonder hen had ik het niet gehaald, ik denk dat ik mezelf iets had aangedaan.

Ik heb heel veel hulp gehad van allerlei instanties – zoals kinderbescherming, hulp in de huishouding – en daar ben ik nooit iets mee opgeschoten. Met deze gezinscoaches begint er eindelijk een ontwikkeling. We wisten niet hoe we het moesten aanpakken, met al die schulden. Samen hebben we, stapje voor stapje, het huis verkocht, budgettering aangevraagd, een huurhuisje gevonden. We kunnen

nog steeds geen krentenbrood kopen, maar we lijden geen honger."
(moeder over twee gezinscoaches die ook als gespecialiseerd verzorgenden in het gezin werken)

Met de kinderbescherming kan ze me niet helpen
"Zij heeft mij geholpen bij de problemen met de sociale dienst na de verhuizing. Ik heb vijf maanden geen uitkering gekregen. Ik sprak met personen die mij behandelden alsof ik een zwerver was. De derde persoon die mijn zaak behandelde, was uiteindelijk wel goed.
Zij heeft mij ook geholpen met het vinden van een huis. En het vinden van een goede huisarts. Ik had een huisarts die tegen mij zei dat ik maar terug moest gaan naar mijn land. Het was in de tijd dat ik nog niet goed onder woorden kon brengen wat mij mankeerde.
Zij heeft mij veel uitgelegd. Maar zij kon niets doen voor mijn oudste dochter. De gezinsvoogd heeft een ander idee over wat mijn dochter wel en niet mag doen. En de instelling waar mijn dochter was, ook.
Met haar kan ik over alles praten. Zij voelt als een deel van de familie. Maar met de kinderbescherming kan ze me niet helpen."
(allochtone moeder)

Even rustig ademen
"Ze is de eerste van wie ik niet het idee heb dat ze mijn kinderen wil afpakken. Ze komt gewoon op visite en de kinderen zijn gek op haar. Gewoon een andere moeder die meehelpt. Ze bakt appeltaarten mee en ze heeft meegeholpen met het inrichten van de babykamer. Die anderen komen alleen op gesprek en vragen hoe of het met de kinderen is. Ze zeggen wat ik wel en wat ik niet moet doen met de kinderen. En als ik het fout doe, dan pakken ze mijn kinderen af. Denk ik.
Ik kan heel erg overstuur zijn als er iets met de kinderen gebeurt. De kinderen worden gepest en gediscrimineerd op school. Dan bel ik de gezinscoach en dan zegt ze: even rustig ademen. En dan hebben we het erover. En dan klopt mijn hart wat minder snel."
(allochtone moeder)

Het geheim van de gezinscoach

Het is opvallend hoe blij de gezinnen met hun coaches zijn. Bijna allemaal zijn het gezinnen met slechte ervaringen met de hulpverlening die nu wel positief zijn. Sommige gezinnen ervaren een verandering, omdat er voor het eerst iemand is die echt naar hen luistert.
Zonder uitzondering noemen ze het vertrouwen dat ze in hem stellen, zo sterk zelfs dat ze de coach (bijna) beschouwen als een vriend of een

familielid. Naast die persoonlijke band die de gezinnen met hun coach voelen, is er het gevoel dat er nu werkelijk iemand voor hen is, dat de coach voor hen klaarstaat: *"hij is er voor ons", "we kunnen haar altijd bellen als er iets is", "iemand om op terug te vallen", "de zekerheid dat er iemand is als het fout gaat"*. Die wetenschap brengt rust – tot op zekere hoogte.
Het vertrouwen dat de gezinnen in hun coach stellen, maakt dat ze hem toelaten in hun gezin en ook meer toelaten tot hun problemen: hun ongeopende kast met rekeningen, hun onzekerheid met betrekking tot de opvoeding of hun frustratie ten aanzien van het handelen van een gezinsvoogd. Hij mag een tijdje meekijken in het gezin.
Het vertrouwen dat ze in hem stellen is mede gebaseerd op het vertrouwen dat hij hen kan helpen. Hij is *"de hulp met dingen die wij (nog) niet zelf kunnen", "zij is een vraagbaken, steun en toeverlaat", "hij is iemand die een tijdje de dingen van ons overneemt"*.
Wat dat betreft 'werkt' de vertrouwensrelatie dus.
De gezinscoaches zelf ervaren dit overigens iets anders. Zij voelen zich geen vriend of familie – tenzij ze dat al zijn omdat ze uit het sociale netwerk van het gezin komen. Maar een groot deel van hen – niet allemaal – ervaart wel een grotere betrokkenheid bij – en daarmee vaak ook een grotere verantwoordelijkheid ten aanzien van de gezinnen waar zij coach zijn.
Op verschillende manier vertellen ze over een grens die verschuift, dat wil zeggen: ze voelen zich uitgenodigd om dieper tot de gezinssituatie door te dringen. Het is lastig om die grens precies te benoemen, maar iedereen kent hem.
Hij heeft te maken met de privé-sfeer die als het ware een terrein afbakent waar niemand in mag kijken, zich mee mag bemoeien of zich in mag mengen.

Heel interessant is de uitspraak van een moeder van een gezin – ze is gescheiden van haar man, heeft een aantal kinderen, een groot hart en functioneert op een 'laag niveau' zoals dat heet – die zegt over haar gezinscoach:
"Ik ben het wel eens niet met haar eens, maar dan zorgt ze wel dat ik erin geloof."
Een op een eerste gezicht een beetje raadselachtige uitspraak die – als je erover doordenkt – iets vertelt over het 'geheim' of de formule van de gezinscoach: dat het gezin via de gezinscoach een andere zienswijze kan toelaten. Vanuit het vertrouwen dat het in de coach stelt en vanuit het besef dat die het beste met hen voor heeft.
De gezinscoach is een persoon die een combinatie is van persoonlijk betrokken persoon en iemand met kennis van zaken. Of hij nu een

professional is of iemand uit het persoonlijke netwerk, hoe dan ook brengt de coach kennis van zaken in. Die combinatie maakt hem sterk – want met een vriend of een familielid kun je wel een persoonlijke band hebben maar niet (altijd) die kennis van zaken verwachten en een 'normale' hulpverlener blijft op afstand en die sluit je dus ook gemakkelijker buiten.

12 [Samenvatting]

Na deze tocht door de materie sluiten we 'het banen van een pad' af met een samenvatting van onze observaties en analyses. We proberen hiermee de kern te raken van wat gezinscoaching is. Een definitie geven we niet, omdat gezinscoaching maatwerk is. De elementen van dit maatwerk laten zich echter wel omschrijven.
Het doel van gezinscoaching is wél éénduidig te definiëren: gezinscoaching is erop gericht om de ouders (beter) in staat te stellen opvoeder van hun kind(eren) te zijn.

1 Voor wie is gezinscoaching bedoeld?
Gezinscoaching is bedoeld voor multi-probleemgezinnen (dat wil zeggen: gezinnen met problemen op meerdere terreinen tegelijkertijd) die geen greep op hun situatie hebben (geen regie). In deze gezinnen is tenminste één minderjarig kind aanwezig. Alle gezinnen die in aanmerking komen voor gezinscoaching, hebben al een geschiedenis in de hulpverlening ('vaste klanten'). Een geschiedenis die zich laat kenmerken door het feit dat de hulpverlening in deze gezinnen niet goed of onvoldoende 'loopt' (niet efficiënt, onvoldoende afstemming). De relatie met de hulpverlening is met andere woorden 'verstoord'. De gezinscoach krijgt te maken met gezinnen die teleurgesteld zijn in de hulpverlening of die hulpverleners wantrouwen – bijvoorbeeld ten gevolge van een slechte communicatie en/of wanneer er (de dreiging van) ondertoezichtstelling en/of detentie in het geding is.

2 Wat kenmerkt de gezinscoach?
De gezinscoach is de vertrouwenspersoon van het gezin – en juist dat maakt hem tot de aanwezen persoon om het gezin te coachen en de verstoorde relatie tussen hulpverlening en gezin te helpen herstellen (vertrouwen in de hulpverlening herstellen, relatie tussen hulpverlening en gezin gelijkwaardiger maken). Vanuit zijn positie als vertrouwenspersoon vormt de gezinscoach de verbindende schakel tussen gezin en hulpverlening. Hij kan de hulpverlening bezien vanuit het perspectief van het gezin en andersom. De coach werkt dus naar twee kanten: het gezin en de hulpverlening. Hij coacht het gezin zodat het de greep op de situatie hervindt (regie teruggeven) of – als dit niet mogelijk is – brengt de gezinssituatie tot rust (stabiliseren/stutten en steunen). Hij coacht de hulpverlening zodat die effectief is (of blijft).
Het gezin kiest de gezinscoach of zegt 'ja' tegen zijn voordracht. De

gezinscoach kan een hulpverlener zijn die het gezin al kent of juist een hulpverlener die 'fris' tegen de situatie aankijkt. Hij kan ook iemand uit het sociale netwerk van het gezin zijn (familie, vriend, buur).
Gezinscoaching is een taak, geen aparte functie, dat wil zeggen: de gezinscoach neemt deze taak 'erbij' – in aanvulling op zijn al bestaande functie of rol als hulpverlener of familielid/vriend(in)/buur.

3 Hoe werkt de gezinscoach?
De gezinscoach komt terecht in een dynamisch systeem met aan de ene kant het gezin (waarmee de relatie in beweging is en waarin ook voortdurend nieuwe informatie en nieuwe/andere behoeften kunnen opduiken) en aan de andere kant de hulpverlening (ook aan verandering onderhevig, nieuwe hulpverlening erbij, oude afgesloten en dergelijke). De gezinscoach speelt voortdurend op de situatieveranderingen in. Het werkproces is dan ook niet te vatten in een eenduidige methode.
Als verbindende schakel tussen gezin en hulpverlening is de gezinscoach erop gericht de dynamiek aan beide kanten in de gaten te houden en die te 'vertalen', dat wil zeggen: veranderingen in het gezin over te brengen aan de hulpverlening als dat zinnig is en de veranderingen in de hulpverlening met het gezin te bespreken of aan het gezin te duiden.
In zijn relatie met het gezin vervult de gezinscoach verschillende rollen, variërend van vertrouwenspersoon tot crisismanager, van bemiddelaar (bemiddeling bij klachten van overlast in de buurt bijvoorbeeld) tot 'geheugen' (zeker wanneer er veelvuldig crises aan de hand zijn, vergeet het gezin soms wanneer, hoe en waardoor gebeurtenissen plaatsvonden. Ook in praktische zin vervult de gezinscoach regelmatig de rol van geheugen, namelijk door het gezin te herinneren aan afspraken).
Van een gezinscoach wordt bovendien heel vaak de rol van gids gevraagd (het gezin wegwijs maken in de samenleving, de bureaucratie met name, aanwijzingen geven voor het oplossen van problemen met bijvoorbeeld nutsbedrijven, sociale dienst, woningcorporaties en dergelijke, het gezin informeren over bij welke instanties het voor welke zaken het beste terecht kan).

Afhankelijk van de situatie (is het gezin in staat te leren en te veranderen of niet? hoeveel tijd kan de gezinscoach in het gezin doorbrengen?) kan hij drie verschillende coachingstijlen hanteren:
1 Stutten en steunen. Deze stijl is erop gericht om de gezinssituatie stabiel te houden en er vooral voor te zorgen dat het gezin aan de bel 'leert' trekken wanneer er opnieuw zaken uit de hand dreigen te lopen – door hun gezinscoach (als vaste vertrouwenspersoon) te bellen of te spreken wanneer dit het geval is.

Wanneer het gezin 'leerbaar' is kan de gezinscoach zich richten op het ontwikkelen van het vermogen van het gezin om weer zelf het heft in handen te nemen en op het herstellen van de gelijkwaardigheid tussen gezin en hulpverlening (het gezin krijgt het overzicht terug, is in staat weer zelf de hulpverlening aan te sturen). Dit coachingtraject is begrensd in tijd: wanneer het doel bereikt is kan de gezinscoach stoppen.

Het coachen van het gezin kan in een 'doe-stijl' en in een 'praat-stijl' gebeuren:

2 De doe-stijl. Volgens de doe-stijl coachen betekent het gezin iets leren door voorbeeldgedrag. Dat wil zeggen: door samen dingen te doen en daarin het voorbeeld te geven. Dat gaat om allerlei zaken, zoals de omgang met kinderen, de omgang met geld, met formulieren, het opruimen en ordenen van spullen, het maken van afspraken en het omgaan met instanties aan de telefoon. Coachen volgen de doe-stijl vraagt van de gezinscoach dat hij veel tijd in het gezin doorbrengt.
3 De praat-stijl. De gezinscoach die volgens de praat-stijl coacht, komt in de regel een keer per week of een keer per twee weken in het gezin. Het contact verloopt via het gesprek. Coachen volgens de praat-stijl is het gezin laten leren of ondersteunen door goed te luisteren, vragen te stellen, door te vragen, te analyseren, te spiegelen, een andere zienswijze te berde te brengen, handelingsmogelijkheden te benoemen, raad te geven en dergelijke. Op deze manier krijgen coach en gezin inzicht in en grip op de problematiek.

De relatie tussen gezinscoach en hulpverlening krijgt vorm in de afstemgesprekken of in de tussendoor gesprekken (per telefoon of email) en ontmoetingen van de gezinscoach met de hulpverleners rond het gezin. Ook ten aanzien van de hulpverleners heeft de gezinscoach verschillende rollen, van 'tolk' (verduidelijken van de problematiek en behoeften van het gezin, verklaren van het doen – en laten – van het gezin) tot 'signaleerder' (of de vraag en behoeften van het gezin zijn afgestemd op de hulpverlening, of de hulpverlening onderling goed is afgestemd) of aanspreekpunt (één contactpersoon via wie de contacten van gezin en hulpverlening lopen en vice versa).

Het regelmatig houden van afstemgesprekken is een goed instrument voor gezinscoaches in gezinnen waar de afstemming van de hulpverlening blijvend aandacht en impulsen nodig heeft. Ook het 'monitoren' van hoe de gezinscoaching verloopt, kan onderdeel zijn van een afstemgesprek. Het doel van de afstemgesprekken is een uitwisseling van informatie en zienswijze tussen de hulpverleners onderling en het gezin: gezamenlijk vaststellen wat goed loopt en wat niet, of er wellicht een nieuwe hulpvraag in het gezin is gekomen en

dergelijke. Het afstemgesprek is ook een goede vorm om de afzonderlijke en de gezamenlijke verantwoordelijkheden helder te houden (en verantwoordelijkheid te delen).
Het gezin is bij voorkeur aanwezig bij deze gesprekken, omdat zo werkelijk het gesprek tussen hulpverlening en gezin gevoerd kan worden en niet 'over het hoofd van het gezin heen' plaatsvindt.
In principe is de gezinscoach voorzitter van het afstemgesprek. De frequentie zal per situatie verschillen: van nooit tot een keer per half jaar tot een keer per drie of vier maanden tot maandelijks.

4 Vaardigheden van de gezinscoach
De vaardigheden van de gezinscoach kunnen we groeperen rondom de volgende thema's:

- Naast het gezin staan.
  Naast het gezin staan houdt in dat de gezinscoach met het gezin een relatie opbouwt, waarin sprake is van vertrouwen en wederzijds respect. Pas dan kan het gezin de gezinscoach toelaten als waarnemer en vertrouwenspersoon. Zeker wanneer de gezinscoach een nog onbekende persoon is voor het gezin, moet de gezinscoach (evenals het gezin overigens) investeren in de opbouw van de relatie. Onder meer houdt dit in: respect hebben, vertrouwen geven, het perspectief van het gezin hanteren, grenzen aangeven en verwachtingen realistisch houden.
- Scherp waarnemen van het gezin in de situatie.
  Een gezinscoach moet scherp kunnen waarnemen, dus goed kunnen kijken en luisteren. Hij moet niet alleen de leden van het gezin leren kennen, maar vooral ook het verband zien tussen wie ze zijn en de situatie waarin ze verkeren. Scherp waarnemen betekent stilstaan bij het gezin en de problematiek die daar speelt, waarnemen zonder vooropgezette mening of oordeel, (voor even) afzien de eigen normen en waarden en de impact of betekenis van bepaalde problemen voor het gezin kunnen doorgronden.
- Goed communiceren.
  Goed communiceren houdt onder andere in: weten wat je zegt, duidelijk zijn over je eigen positie, onderscheid maken tussen adviseren en voorschrijven en nooit achter de rug van het gezin om handelen. Want als er één ding is waar deze gezinnen slecht tegen kunnen, is dat wel wanneer hulpverleners achter hun rug om zaken doen.
- Inschatten van het 'lerend vermogen' van het gezin en het kunnen motiveren.
  Een gezinscoach is in staat om het lerend vermogen van het gezin in te schatten en de eigen verwachtingen en doelstellingen daarop aan te passen. Dat betekent: 'de lat' op de juiste hoogte legen (weten in welke gezinnen dit een lage lat moet zijn), de ontwikkelingsmogelijkheden van het gezin onderkennen, maar ook het gezin kunnen stimu-

leren en motiveren tot ontwikkeling.

- Verhelderen en verbeteren van de hulpverlening in het gezin.
  De gezinscoach moet aan het gezin kunnen uitleggen wat de rol en taak is van de diverse hulpverleners, verklaren wat hun bevoegdheden zijn, waarom ze er zijn, waarom ze zo praten en handelen als ze doen. Andere vaardigheden in dit licht zijn verder: contact kunnen leggen en kunnen overleggen met hulpverleners in het gezin, bemiddelen tussen gezin en hulpverlening bij conflicten en misverstanden, het organiseren en voorzitten van afstemgesprekken en kennis hebben van de hulpverlening: weten wat het aanbod is, onder welke voorwaarden het beschikbaar is, waar en hoe aan te vragen, kennis ook van hoe diverse hulpverleningsorganisaties werken.

5 Randvoorwaarden

Om gezinscoaching goed te laten verlopen, zijn er een aantal randvoorwaarden te benoemen.

- Een heldere opdracht.
  Het opdrachtgeverschap ligt niet simpel in het geval van gezinscoaching. De gezinscoach is de verbindende schakel tussen gezin en hulpverlening en in die zin kunnen gezin en de gezamenlijke hulpverleners gezien worden als 'opdrachtgever'.
  De opdracht wordt geformuleerd in een 'startgesprek' tussen de coördinator van het meldpunt multi-probleemgezinnen, het gezin, de gezinscoach en de hulpverleners rond het gezin.
- Afstemgesprekken.
  In situaties waarin de hulpverlening blijvend aandacht en impulsen nodig heeft, is het belangrijk dat op regelmatige basis afstemgesprekken plaatsvinden. Dát afstemgesprekken gehouden worden, moet een afspraak zijn die de betrokken hulpverleners maken tijdens het startgesprek. De gezinscoach is voorzitter, de coördinator van het meldpunt kan het voorzitterschap ook vervullen.
- Intervisie en andere vormen van feed back.
  Juist omdat gezinscoaching een taak is die door relatief weinig mensen wordt uitgeoefend (hulpverleners en niet-hulpverleners, hulpverleners bovendien vanuit verschillende organisaties), is het belangrijk dat gezinscoaches de mogelijkheid hebben tot intervisie of andere vormen van feedback op hun functioneren. Zeker wanneer gezinscoaches in het gezin 'ingezogen' dreigen te raken – iets wat door de intensiteit van gezinscoaching gecombineerd met de vertrouwensrelatie met het gezin nog wel eens voorkomt – is dat nodig.
- Organisatorische inbedding.
  Om een aantal redenen is een goede organisatorische inbedding van de gezinscoach nodig. In de eerste plaats moet de gezins-

coach – wanneer hij hulpverlener is en gebonden aan een organisatie – van zijn eigen organisatie de tijd krijgen en ook de ruimte om eventueel buiten de regels om te kunnen handelen. Daarover moet hij intern afspraken kunnen maken (en daarvoor zijn ook op bestuurlijk niveau afspraken nodig). De gezinscoach moet bovendien terug kunnen vallen op de coördinator van het meldpunt multi-probleemgezinnen, wanneer dit nodig blijkt. Dat kan zijn om een afstemgesprek met de hulpverleners voor te zitten, maar ook bij eventuele verschillen in visie of conflicten tussen hulpverleners aan het gezin. Tenslotte moet een gezinscoach terug kunnen vallen op de coördinator, wanneer er 'derden' in het spel zijn, zoals de nutsbedrijven die een gezin dreigen af te sluiten van gas en licht.

Tot slot

Gezinscoaching kan het beste worden opgevat als een concept, een sterke vinding met veel potentie. Sterk aan het concept zijn meerdere aspecten:

- De aantrekkelijkheid van het begrip 'coaching'.
  Het begrip 'coaching' komt vanuit een heel andere wereld dan die van de hulpverlening en definieert de relatie tussen cliënt en hulpverlener als een relatie tussen coach en gecoachte. Coaching is in die zin op te vatten als een soort 'tegengif' voor de valkuil van iedere hulpverlener, namelijk, de valkuil waarin de hulpverlener in de plaats treedt van de cliënt en zijn of haar problemen oplost ('de regie overneemt'). Daarmee bevestigt de hulpverlener het onvermogen van de cliënt en maakt die bovendien van hem afhankelijk.
- Vertrouwenspersoon in een situatie van wantrouwen.
  Een gezinscoach als vertrouwenspersoon in een gezin brengen dat geen vertrouwen (meer) heeft in de hulpverlening, is – goed beschouwd – een 'gouden greep'. Want wie kan beter helpen het vertrouwen te herstellen dan iemand die het vertrouwen van het gezin heeft? Vanuit het vertrouwen dat het gezin in de coach stelt (het weet dat hij het beste met hen voor heeft), kan het gezin de gezinscoach relatief diep in de gezinssituatie toelaten. En met de gezinscoach ook een andere zienswijze toelaten, zodat de situatie kan veranderen.
- De combinatie van persoonlijke betrokkenheid en kennis van zaken.
  De gezinscoach is zowel een persoonlijk betrokken persoon als iemand met kennis van zaken. Die combinatie is sterk en trefzeker. Of hij nu een professional is of iemand uit het persoonlijke netwerk, hoe dan ook brengt de gezinscoach kennis van zaken in. Met een vriend of een familielid kun je wel een persoonlijke band hebben maar niet (altijd) die kennis van zaken verwachten en een 'nor-

male' hulpverlener blijft op afstand en die sluit je als gezin dus ook gemakkelijker buiten.

- Gezinscoaching goede vorm van 'stutten en steunen'.
  Met name voor multi-probleemgezinnen die langdurige ondersteuning nodig hebben (maximaal tot alle kinderen meerderjarig zijn), is momenteel geen 'aanbod'. Gezinscoaching kan hier een leemte invullen, niet als nieuwe hulpverleningsfunctie, maar als een toegevoegde taak.

Heel kort samengevat kunnen we de gezinscoach omschrijven als

- Vertrouwenspersoon van het gezin.
- Verbindende schakel tussen gezin en hulpverlening in het gezin.
- Coach van het gezin (regie teruggeven of stabiliseren).
- Stimulator/bewaker van afgestemde hulpverlening.

Colofon

Geschreven in opdracht van de provincie Limburg
door Karin Schaafsma van DSP-groep BV te Amsterdam.

Met medewerking van:
Agnes van den Andel, Annelies Slabbèrtje, Nelleke Hilhorst en
Wilma Strik.

Uitgegeven in juli 2005

DSP-groep BV
Van Diemenstraat 374
1013 CR Amsterdam
T: 020 – 6257537
F: 020 – 6274759
dsp@dsp-groep.nl
www.dsp-groep.nl
KvK: 33176766 A'dam